Hartmut Aufderstraße
Jutta Müller
Thomas Storz

Lagune

Kursbuch 1

Deutsch als Fremdsprache

Hueber Verlag

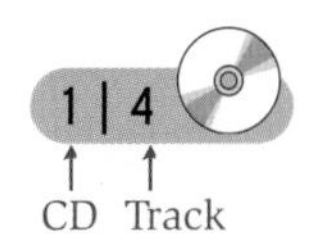

CD Track

alle Hörtexte des gesamten Kursbuches, Band 1

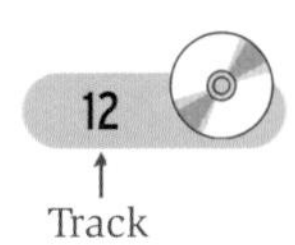

Track

alle Hörtexte der hinten im Buch eingelegten CD:
- „Fokus Sprechen" der 6 Themenkreise
- Übungstest für die Prüfung *Start Deutsch 1*

Redaktion: Veronika Kirschstein, Bretten

Zeichnungen Inhalt: Hueber Verlag, Frauke Fährmann
Zeichnungen *Augenzwinkern* und *Übungstest*: Hueber Verlag, Martin Guhl

Photorecherche: Lisa Mammele, Stephanie Pfeiffer

Ein ausführliches Quellenverzeichnis befindet sich auf den Seiten 190–191.

10. 9. 8. | Die letzten Ziffern
2019 18 17 16 15 | bezeichnen Zahl und Jahr des Druckes.
Alle Drucke dieser Auflage können, da unverändert,
nebeneinander benutzt werden.
1. Auflage

Umschlagfoto: © Getty Images / Jean-Pierre Pieuchot
Umschlagsgestaltung: Martin Lange Design, Karlsfeld
Satz, Layout, Grafik: Martin Lange Design, Karlsfeld
Druck und Bindung: PHOENIX PRINT GmbH, Deutschland
Produktmanagement und Herstellung: Astrid Hansen, Hueber Verlag, Ismaning
Printed in Germany
ISBN 978-3-19-001624-2

Art. 530_16968_001_08

Vorwort

Liebe Deutschlernerin, lieber Deutschlerner,

mit *Lagune* laden wir Sie ein, die Welt der deutschen Sprache zu entdecken. Sicher und geschützt wie in einer Bucht werden Sie auf Ihrem Lernweg begleitet, dank einer sanften Progression, einer klaren Aufgabenstellung und eines reichhaltigen Übungsangebots. Unterwegs werden Sie auf vieles Interessante, Unterhaltsame und Amüsante treffen, das Sie beim Lernen anregt und Ihnen neue Impulse gibt.

Lagune unterstützt ein kleinschrittiges und kommunikatives Lernen: Die Progression von Grammatik und Wortschatz in *Lagune* ist sorgfältig durchdacht und verzahnt. In 30 kurzen Lerneinheiten, die in sechs übergeordnete Themenkreise gegliedert sind, können Sie sich leicht orientieren.

Jede kurze Lerneinheit, Fokus genannt, berücksichtigt immer alle sprachlichen Fertigkeiten; im Mittelpunkt steht aber jeweils eine Fertigkeit, wie z.B. Lesen oder Hören. Jeder Fokus führt Sie von einfachen zu komplexeren Übungen.

Am Anfang eines Themenkreises steht jeweils eine Fotocollage, die in das übergeordnete Thema einführt. Es schließen sich fünf Lerneinheiten an, die mit einer großen Fotodoppelseite ausklingen. Hier können Sie ankern, Ihre Augen verweilen lassen und landeskundlich Interessantes entdecken. Den Abschluss eines jeden Themenkreises bildet ein amüsantes Kurzgespräch, das augenzwinkernd die neuen Lerninhalte nochmals aufnimmt.

Am Ende eines jeden Bandes von *Lagune* finden Sie einen Übungstest. Damit sind Sie auf die Sprachprüfung der entsprechenden Niveaustufe bestens vorbereitet.

Wir wünschen Ihnen viel Freude und Erfolg beim Deutschlernen mit *Lagune*.

Ihre Autoren und Ihr Hueber Verlag

Inhalt

Themenkreis
Menschen und Reisen

1 Fokus Strukturen

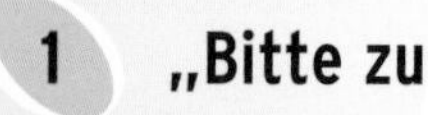

1 „Bitte zur Information!“

Was hören Sie? Text A, B oder C? Kreuzen Sie an. 

A „Frau Beier bitte zur Information. Achtung! Frau Helga Beier bitte zur Information.“

B „Herr Meier bitte zur Information. Achtung! Herr Hans Meier bitte zur Information.“

C „Herr und Frau Meier bitte zur Information. Achtung! Herr und Frau Meier bitte.“

2 „Guten Tag. Mein Name ist ...“

a. Betrachten Sie das Foto und lesen Sie die Sprechblasen.

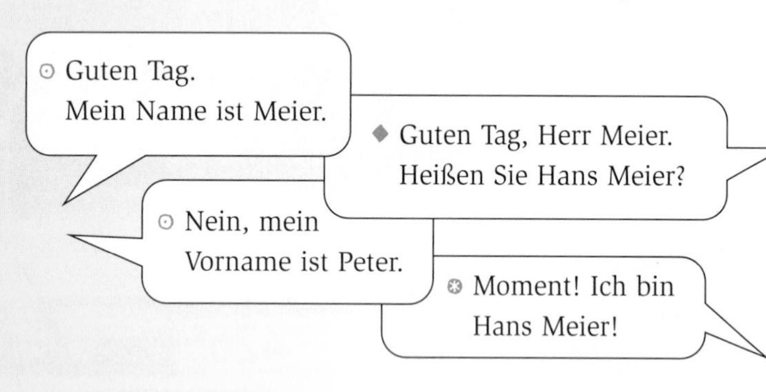

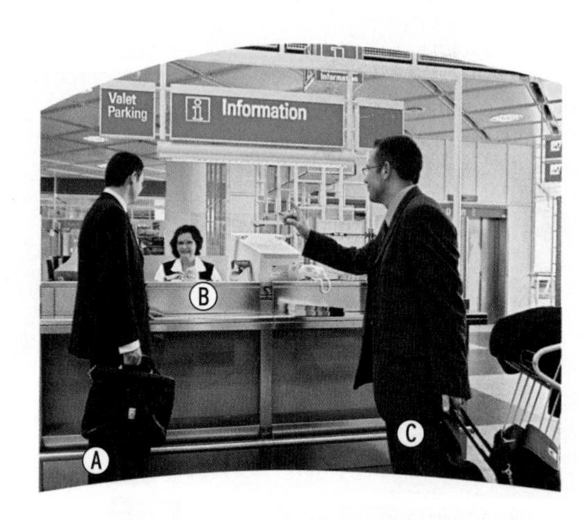

b. Wer sagt was? Was glauben Sie?

⊙ *Person B sagt: „Guten Tag. Mein Name ist Meier.“* ◆ *Nein, Person ...*

c. Hören Sie das Gespräch. Spielen Sie es dann im Kurs nach. 

3 Und wie heißen Sie?

Üben Sie Fragen und Antworten im Kurs.

Guten Tag.	Mein Name ist ...	Wie heißen Sie, bitte?
Guten Morgen.	Ich heiße ...	Heißen Sie ...?
Hallo.	Ich bin ...	
	Mein Vorname ist ...	
	Mein Nachname ist ...	

4 Zahlen 1 bis 10

Hören Sie die Zahlen und üben Sie gemeinsam im Kurs.

1 eins **2** zwei **3** drei **4** vier **5** fünf **6** sechs **7** sieben **8** acht **9** neun **10** zehn

5 Wie heißt das auf Deutsch?

a. Betrachten Sie die Fotos und lesen Sie die Wörter. Was kennen Sie schon?

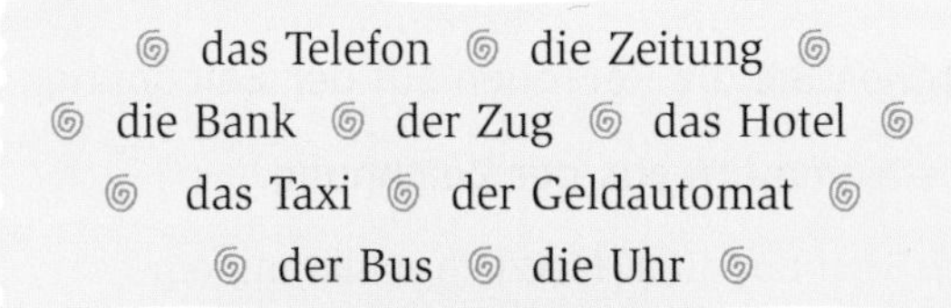

b. Spielen Sie „Frage und Antwort" in einer kleinen Gruppe.

○ *Wie heißt Nummer 4 auf Deutsch?*
◆ *‚Das Hotel'.*
❂ *Ja, das ist richtig!/Nein, das ist nicht richtig!*

○ *Wie heißt Nummer 1 auf Deutsch?*
◆ *Nummer 1 heißt der/die/das …*

6 Ordnen Sie die Wörter von Übung 5.

der	die	das
Zug	*Zeitung*	*Taxi*
………	………	………
………	………	………

7 Welche Wörter kennen Sie?

a. Betrachten Sie die Seite rechts. Welche Wörter kennen Sie von Übung 5?

Taxi, Hotel ...

b. Verstehen Sie noch andere Wörter? Schreiben Sie gemeinsam mit einer Partnerin / einem Partner eine Liste. Lesen Sie dann die Wörter im Kurs vor.

Zoo, Zentrum ...

c. Kennen Sie einige Artikel nicht? Fragen Sie Ihre Kursleiterin / Ihren Kursleiter.

⊙ *Wie ist der Artikel von ‚Zoo'?*
◆ *Wie ist der Artikel von ...?*

8 Menschen am Bahnhof

a. Hören Sie zu.

b. Hören Sie noch einmal und suchen Sie die Personen auf der Zeichnung.

c. Wer sagt das? Notieren Sie die Nummern aus der Zeichnung.

der Reporter:	5	„Guten Tag, Frau Soprana. Herzlich willkommen."
die Sängerin:		„Danke für die Blumen."
der Tourist:		„Auf Wiedersehen. Gute Reise, Frau Nolte."
die Touristin:		„Auf Wiedersehen, Herr Noll."
das Mädchen:		„Hallo, ich heiße Claudia. Und du?"
der Junge:		„Ich heiße Claus. Tschüs, Claudia."
die Polizistin:		„Halt! Wie heißen Sie?"
die Verkäuferin:		„Oh! Verzeihung!"
das Baby:		„Mama."
die Zwillinge:		„Nein! Pfui!"

d. Spielen Sie jetzt die Szenen im Kurs nach. Wer ist der Reporter, die Sängerin ...?

9 Singular und Plural. Ergänzen Sie.

Singular	Plural
der Geldautomat	**die** Geldautomaten
die Blume	**die** Blumen
das Taxi	**die** Taxis

a. das *Telefon*	die Telefone	e. die Blume	die ....
b. der Saft	die	f. der	die Geldautomaten
c. das	die Taxis	g. der Zwilling	die ....
d. das	die Hotels		

HAUPTBAHNHOF
ZEITUNGEN
BLUMEN
FILME + GESCHENKE
INFORMATION
BANK
GELDAUTOMAT
GLEIS 1
ZENTRUM
PARKPLATZ
INFORMATION
HOTEL
ICE 301
KÖLN-MÜNCHEN
Danke für die Blumen.
Guten Tag, Frau Soprana. Herzlich willkommen.
Halt! Wie heißen Sie?
Nein! Pfui!
Auf Wiedersehen, Herr Noll.
Mama.
Auf Wiedersehen. Gute Reise, Frau Nolte.
Oh! Verzeihung!
TOILETTE
TELEFON
TAXI
BUS
Hallo, ich heiße Claudia. Und du?
Ich heiße Claus. Tschüs, Claudia.
ABFALL
DANKE
1
2
3
4
5
6
7
8
9
10

Fokus Lesen

1 Ein Verkäufer, eine Reporterin, ein Baby ...

Was passt wo? Notieren Sie die Nummern.

a. Das ist ein Verkäufer. Er wohnt in Berlin. 4

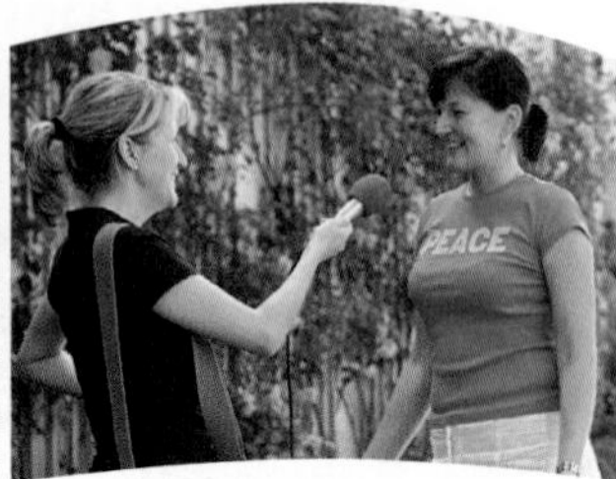

b. Das ist eine Reporterin. Sie macht ein Interview.

c. Das ist ein Baby. Es weint. Es ist allein.

d. Das sind Fußballfans. Sie winken.

e. Ein Mann kommt.

f. Eine Frau singt.

g. Ein Mädchen lacht.

h. Menschen kommen und gehen.

1. Die Reporterin heißt Carla Linse.
2. Die Fußballfans kommen aus Deutschland.
3. Er ist Polizist.
4. ~~Der Verkäufer heißt Walter Wohlfahrt.~~
5. Es ist glücklich.
6. Sie sind Touristen.
7. Das Baby heißt Stefan.
8. Sie ist Sängerin.

2 Ergänzen Sie die Wörter.

lacht · Er · Eine · ~~Ein~~ · sind · Sie · Es · Ein · ist · Sie · kommen

a. Ein .... Mann singt. Er .... ist glücklich.
b. .... Frau geht. .... weint. Sie .... allein.
c. .... Mädchen kommt. Es singt. .... heißt Carmen
d. Menschen .... und gehen. Sie .... Touristen. .... winken.

ein Mann	**der** Mann	**er** winkt	(wink**en**)
eine Frau	**die** Frau	**sie** geht	(geh**en**)
ein Mädchen	**das** Mädchen	**es** lacht	(lach**en**)
Touristen	**die** Touristen	**sie** kommen	(komm**en**)

Er ist glücklich. (**sein**)
Sie ist glücklich.
Sie sind glücklich.

3 Ein Bahnhof

a. Betrachten Sie das Bild und lesen Sie dann den Text.

b. Ergänzen Sie die Sätze.

1. Touristen *winken* .
2. Ein Zug ....
3. Ein Mädchen ....
4. Ein Mann ....
5. Eine Frau ....
6. Der Mann ....
7. Die Frau ....
8. Der Mann und die Frau ....

winkt · sagt: „Auf Wiedersehen" · weint · kommt · sind verliebt · lacht · ~~winken~~ · geht

4 Ich

Lesen Sie die Texte. Vergleichen Sie und ergänzen Sie dann die Verben.

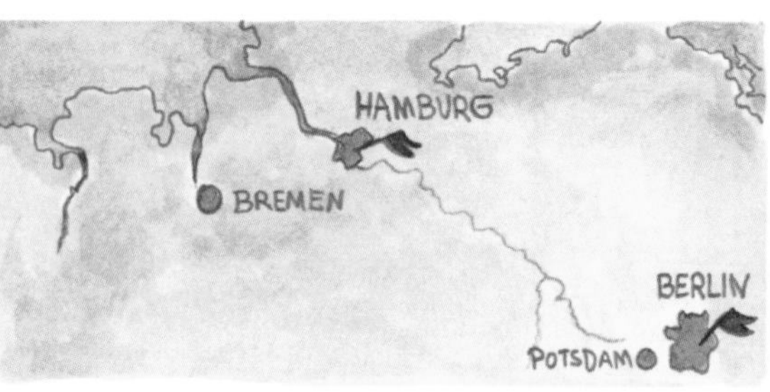

Ich *heiße* Jan Schöne.
Ich bin Sänger.
Ich .... in Berlin.
Ich arbeite in Potsdam.
Ich .... gern Klavier.

wohne ~~heiße~~ arbeite bin spiele

Ich heiße Sara Anmut.
Ich .... Verkäuferin.
Ich wohne in Hamburg.
Ich .... in Bremen.
Ich höre gern Musik.

5 Du

a. Hören Sie das Gespräch mehrmals.

b. Welche Sätze hören Sie? Arbeiten Sie mit einem Partner. X

1. X „Wo bist du?“
2. „Wer bist du?“
3. „Was machst du?“
4. „Arbeitest du?“
5. „Wann kommst du?“
6. „Kommst du bald?“
7. „Auf Wiederhören.“
8. „Auf Wiedersehen.“

6 Fragen und Antworten

Schreiben Sie die passende Frage zu jeder Antwort.

a. ⊙ *Wie heißt du?* ◆ Ich heiße Sara.
b. ⊙ .... ◆ Ich wohne in Hamburg.
c. ⊙ .... ◆ Ich komme bald.
d. ⊙ .... ◆ Nein, ich arbeite nicht.
e. ⊙ .... ◆ Ich höre Musik.
f. ⊙ .... ◆ Ja, ich bin glücklich.

Was machst du? Wann kommst du? ~~Wie heißt du?~~ Arbeitest du? Bist du glücklich? Wo wohnst du?

komm**en**	ich komm**e**	du komm**st**	Kommst du?	Wann kommst du?
heiß**en**	ich heiß**e** ...	du hei**ßt** ...	Heißt du ...?	Wie heißt du?
arbeit**en**	ich arbeit**e**	du arbeit**est**	Arbeitest du?	Wo arbeitest du?
sein	ich **bin** glücklich	du **bist** glücklich	Bist du glücklich?	Wo bist du?

7 Ein Brief

a. Lesen Sie den Text.

Liebe Sara,

du bist nicht da. Ich bin traurig.
Ich spiele Klavier. Ich arbeite. Ich schreibe. Ich warte.
Wann kommst du?
Bist du traurig? Bist du glücklich?
Was machst du?
Weinst du? Lachst du?
Arbeitest du? Hörst du Musik?
Wartest du?
Du wohnst in Hamburg. Ich lebe in Berlin.
Ich bin allein. Du bist allein.
Aber das ist bald Vergangenheit.
Ich träume. Die Zukunft:
Du lebst in Hamburg. Ich lebe in Hamburg.
Oder: Ich wohne in Berlin und du wohnst auch in Berlin.
Du und ich. Ich und du.
Ich bin glücklich. Du bist glücklich.
Ich schicke Blumen.
Kommst du bald?

Ich liebe dich!
Jan

b. Was ist richtig? Kreuzen Sie an. X

1. X Jan ist traurig.
2. Sara schreibt.
3. Jan ist allein.
4. Jan liebt Sara.
5. Sara lebt in Hamburg.
6. Sara ist da.
7. Jan spielt Klavier.
8. Sara schickt Blumen.
9. Sara wohnt in Berlin.
10. Jan wartet.
11. Jan träumt.

c. Wie heißt es im Text? Schreiben Sie die richtigen Lösungen aus b. und die passenden Textstellen auf. Arbeiten Sie mit einem Partner.

Jan ist traurig.	Ich bin traurig.	....	....
Jan ist allein.	Ich bin	....	....
Jan liebt	Ich liebe	....	....
....	....		

3 Fokus Hören

 Das ist kein ... 

Lesen Sie die Sätze und hören Sie dann das Gespräch. Welche Sätze hören Sie? ✗

1. ☐ „Ist der Fahrkartenautomat kaputt?"
2. ✗ „Da kommt kein Geld."
3. ☐ „Das ist kein Geldautomat."
4. ☐ „Der Geldautomat ist dort."
5. ☐ „Der Geldautomat ist kaputt."
6. ☐ „Das ist kein Geldautomat?"

2 Nachspielen und variieren

a. Ordnen Sie die Sätze zusammen mit einer Partnerin/einem Partner.

☐ ⊙ Das ist kein Geldautomat?
1 ⊙ Verzeihung.
☐ ◆ Nein, der Geldautomat ist dort.
☐ ⊙ Da kommt kein Geld. Ist der Geldautomat kaputt?
☐ ⊙ Oh, danke!
2 ◆ Ja, bitte?
☐ ◆ Das ist kein Geldautomat. Das ist ein Fahrkartenautomat.

b. Spielen Sie das Gespräch mit einer Partnerin/einem Partner im Kurs.

c. Ergänzen Sie zuerst die Sätze und variieren Sie dann das Gespräch.

⊙ Verzeihung.
◆ Ja bitte?
⊙ Da kommt *kein* *Saft*. Ist der *Saftautomat* kaputt?
◆ Das ist kein *Saftautomat*. Das ist ein *Bierautomat*.
⊙ Das ist *kein* ....?
◆ Nein, das ist .... Der .... ist dort.
⊙ Oh, danke.

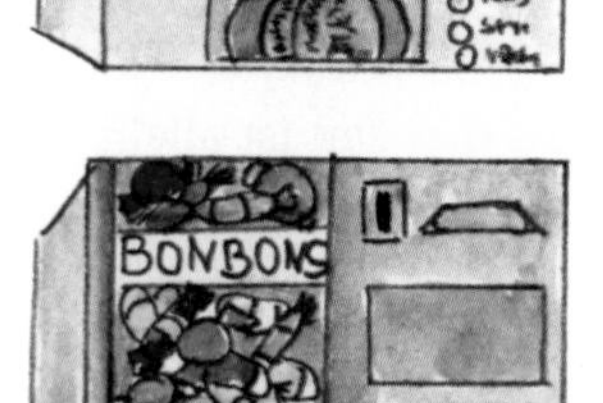

kein Saft – kein Saftautomat – Bierautomat
kein Kaugummi – kein Kaugummiautomat – Geldautomat
kein Tee – kein Teeautomat – Kaffeeautomat
kein Würstchen – kein Würstchenautomat – Bonbonautomat

3 Drei Telefongespräche

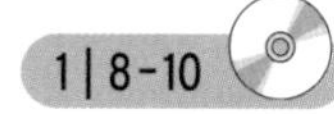

a. Hören Sie die drei Gespräche. Welches Foto passt zu Gespräch 1, 2 und 3?

Gespräch Nr.

Gespräch Nr.

Gespräch Nr.

b. Hören Sie die Gespräche noch einmal. Welche Sätze hören Sie in Gespräch 1, 2 und 3? ✗

Gespräch 1

A. ✗ „Das ist keine Sängerin."
B. „Das ist keine Verkäuferin."
C. „Bist du am Bahnhof?"
D. „Das ist eine Verkäuferin."

Gespräch 2

A. „Ist das ein Radio?"
B. „Nein, das ist kein Radio."
C. „Das ist kein Klavier."
D. „Meine Frau spielt Klavier."

Gespräch 3

A. „Herr Mohn, sind Sie in Hamburg?"
B. „Das sind keine Krankenwagen."
C. „Hier ist ein Unfall."
D. „Das sind Polizeiautos."

der Geldautomat	**ein** Geldautomat	**kein** Geldautomat
die Sängerin	**eine** Sängerin	**keine** Sängerin
das Klavier	**ein** Klavier	**kein** Klavier
die Polizeiautos	Polizeiautos	**keine** Polizeiautos

4 Nachspielen

Wählen Sie ein Gespräch aus. Spielen Sie es dann mit einer Partnerin/einem Partner frei im Kurs.

Hallo, Guten Tag,	Anna/Mario. Herr Mahler.	Hallo, Guten Tag,	...	
Wo	bist du? sind Sie?	Ich bin in ...		
Ist das	ein Radio? eine Sängerin? ein Krankenwagen?	Ja, das	ist	ein ... eine ...
		Nein, das	ist sind	kein ... keine ...
Sind das	Polizeiautos? ...	Das	ist sind	...

5 Am Bahnhof 

a. Lesen Sie zuerst die Sätze und hören Sie dann das Gespräch.

b. Wer sagt die Sätze: Jörg (J) oder Veronika (V)?

J „Wie geht's?“
„Wo sind deine Kinder?“
„Meine Kinder sind dort.“
„Mein Sohn Ralf ist zehn.“
„Wie alt ist deine Tochter?“
„Sag mal, was ist das denn?“
„Aha, das ist dein Kamel.“
„Los, das Taxi wartet.“

6 „Mein“ oder „meine“? „Dein“ oder „deine“?

Ergänzen Sie die Sätze.

Ich:

a. Das ist *mein* .... Saft.
b. Das ist .... Zeitung.
c. Das ist .... Telefon.
d. Das sind .... Blumen.

Du:

e. Das ist *dein* .... Saft.
f. Das ist .... Zeitung.
g. Das ist .... Telefon.
h. Das sind .... Blumen.

mein	Sohn	**dein**	Sohn
meine	Tochter	**deine**	Tochter
mein	Kind	**dein**	Kind
meine	Kinder	**deine**	Kinder

7 „Mama, wo ist mein Ball?“ 

Hören Sie das Gespräch. Was ist richtig? 

a. ✗ Vanessa ist traurig. Ihr Auto ist kaputt.
b. Der Ball von Uwe ist kaputt. Uwe weint.
c. Uwe ist glücklich. Sein Ball ist da.
d. Vanessa ist traurig. Ihre Flasche ist kaputt.
e. Das Baby weint. Seine Mutter ist nicht da.
f. Die Mutter ist glücklich. Ihre Fahrkarten sind da.

8 Wie passen die Sätze zusammen?

Kombinieren Sie und schreiben Sie kurze Texte. Die Possessivartikel geben einen Hinweis. Arbeiten Sie mit einer Partnerin / einem Partner. Lesen Sie Ihre Texte im Kurs vor.

Der Reporter ist allein.	**Ihr** Taxi wartet.	*Der Reporter ist allein. Seine Frau wohnt in Wien.*
Die Mutter wartet.	**Seine** Frau ist glücklich.	*Die Mutter wartet. Ihr Sohn*
Das Mädchen weint.	**Ihr** Sohn kommt nicht.	
Der Mann ist verliebt.	**Ihr** Zug kommt.	
Die Touristen winken.	**Seine** Mutter ist nicht da.	
Die Kinder sind glücklich.	**Ihre** Mutter ist da.	
Die Mutter winkt.	**Seine** Frau wohnt in Wien.	
Die Frau geht.	**Ihre** Kinder kommen.	
...	...	

er:	**sein** Ball	**sie:**	**ihr** Ball	**es:**	**sein** Ball	**sie** (Plural):	**ihr** Ball
	seine Flasche		**ihre** Flasche		**seine** Flasche		**ihre** Flasche
	sein Auto		**ihr** Auto		**sein** Auto		**ihr** Auto
	seine Fahrkarten		**ihre** Fahrkarten		**seine** Fahrkarten		**ihre** Fahrkarten

9 „Ihre Nummer bitte."

a. Hören Sie Gespräch 1. Was ist richtig? ✗

Der Tourist sagt:
- „Bitte Koffer Nummer 1 2 7."
- „Bitte Koffer Nummer 1 3 7."
- „Bitte Tasche Nummer 1 5 7."

Der Mann sagt:
- „Das ist nicht Ihr Koffer."
- „Das ist Ihre Tasche."
- „Das ist Ihr Koffer."

b. Hören Sie Gespräch 2. Was ist richtig? ✗

Nummer 5 2 3
- ist ein Koffer.
- ist eine Tasche.
- ist ein Radio.

Nummer 5 2 2 und 5 3 3
- sind Koffer.
- sind keine Koffer.
- sind nicht da.

Der Mann sagt:
- „Ihre Taschen sind nicht da."
- „So, Ihre Koffer sind da."
- „Ihre Tasche ist da."
- „Ihr Gepäck ist komplett."

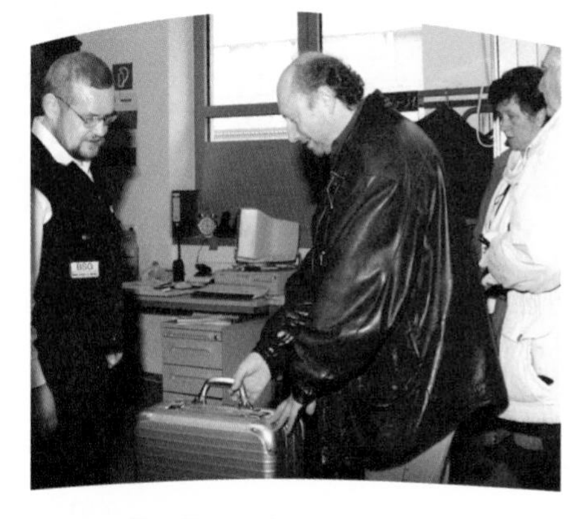

Sie:	**Ihr** Koffer
	Ihre Tasche
	Ihr Gepäck
	Ihre Taschen

4 Fokus Sprechen

Das Alphabet

Hören Sie die Buchstaben und sprechen Sie nach.

A a [a]	B b [be]	C c [ce]	D d [de]	E e [e]	F f [ef]	G g [ge]	H h [ha]	I i [i]	J j [jot]
K k [ka]	L l [el]	M m [em]	N n [en]	O o [o]	P p [p]	Q q [qu]	R r [er]	S s [es]	T t [t]
U u [u]	V v [vau]	W w [we]	X x [ix]	Y y [ypsilon]	Z z [zet]	Ä ä [a-Umlaut]	Ö ö [o-Umlaut]	Ü ü [u-Umlaut]	ß [eszet]

„Wie ist die Autonummer?"

a. In welcher Reihenfolge hören Sie die Autonummern? Notieren Sie.

b. Spielen Sie die Situation mit einer Partnerin/einem Partner nach. Verwenden Sie die Autokennzeichen von Teil a.

- ⊙ Mein Auto ist kaputt.
- ◆ Wie ist die Nummer, bitte?
- ⊙ HAL FS 28. Es ist ein Toyota.
- ◆ Der ADAC* kommt gleich.
- ⊙ Danke. Ich warte.

der VW ◎ der Volvo ◎ der Mercedes ◎ der Toyota ◎ der BMW ◎ der Ford ◎ der Porsche ◎ der Peugeot ◎ …

* ADAC = Allgemeiner Deutscher Automobil Club

3 Wörter

Hören Sie die Wörter, sprechen Sie nach und buchstabieren Sie.

a. Taxi ➔ T - a - x - i

Taxi	ich	zwei
du	Vergangenheit	Polizei
da	zehn	wo
Jan	Bahnhof	ist
Mama	Krankenwagen	jung
Mann	eins	

b.

ä	Mädchen ergänzen Gepäck	**ö**	Jörg hört schön	**ü**	Grüße küssen fünf

c.

au	Auto Frau	**äu**	träumen Verkäufer	**eu**	neun neunzehn
ai	Kai Thailand	**ei**	zwei allein	**ie**	liebe Briefe

4 Namen buchstabieren

a. Buchstabieren Sie bitte Ihren Namen.

⊙ *Ich heiße Claudia Mauro.*
Mein Vorname ist Claudia. C L A U D I A.
Mein Familienname ist Mauro. M A U R O.

b. Stellen Sie einen Partner im Kurs vor.

⊙ *Das ist Antonio Pino.*
Sein Vorname ist Antonio. A N T O N I O
Sein Familienname ist Pino. P I N O

5 „Wie geht es Ihnen?" „Wie geht es dir?"

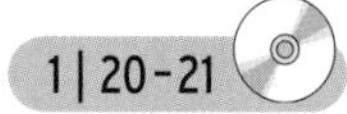

Hören Sie die Begrüßungsgespräche. Üben Sie dann mit einer Partnerin/einem Partner.

Gespräch a.

⊙ Guten Tag, Herr Müller.
◆ Guten Tag, Frau Meier. Wie geht es Ihnen?
⊙ Danke, es geht mir gut. Und Ihnen?
◆ Danke, auch gut.

Gespräch b.

⊙ Hallo, Corinna.
◆ Hallo, Klaus. Wie geht es dir?
⊙ Danke gut, und dir?
◆ Es geht.

„Wo bist du?“ „Wo sind Sie?“

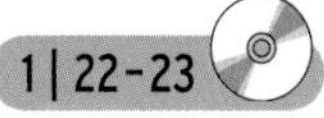

9-10

a. Hören Sie die Gespräche und sprechen Sie die Sätze nach. Achten Sie dabei auf die Betonungen.

Gespräch a.

- ⊙ Noll. Guten Tag.
- ◆ Hallo, Jörg. Hier ist Claudia.
- ⊙ Hallo, Claudia. Wo bist du?
- ◆ In München. Ich bin in München.
- ⊙ Wann kommst du?
- ◆ Morgen.

Gespräch b.

- ⊙ Nolte, guten Tag.
- ◆ Guten Tag, Herr Nolte. Hier ist Soprana.
- ⊙ Guten Tag, Frau Soprana. Wo sind Sie?
- ◆ In London. Ich bin in London.
- ⊙ Arbeiten Sie?
- ◆ Nein, ich arbeite nicht.

b. Spielen Sie ähnliche Gespräche mit einem Partner.

Zahlen von 10 bis 100

a. Hören Sie die Zahlen und sprechen Sie nach.

10 *zehn*
11 elf
12 zwölf
13 drei*zehn*
14 vier*zehn*
15 fünf*zehn*
16 sech*zehn*
17 sieb*zehn*
18 acht*zehn*
19 neun*zehn*

20 zwan*zig*
21 einundzwanzig
22 zweiundzwanzig
23 dreiundzwanzig
24 vierundzwanzig
25 fünfundzwanzig
26 sechsundzwanzig
27 siebenundzwanzig
28 achtundzwanzig
29 neunundzwanzig

30 drei*ßig*
31 einunddreißig
32 zweiunddreißig
33 …

40 vier*zig*
50 fünf*zig*
60 sech*zig*
70 sieb*zig*
80 acht*zig*
90 neun*zig*
100 hundert

b. Hören Sie die Zahlen und sprechen Sie nach.

12

0 10 20 30 40 50 60 70 80 90 100

90 80 70 60 50 40 30 20 10 0

c. Hören Sie die Zahlen und sprechen Sie nach. Achten Sie auf „-zehn“ und „-zig“.

13 - 30; 14 - 40; 15 - 50; 16 - 60;

17 - 70; 18 - 80; 19 - 90

8 Wie alt sind die Personen?

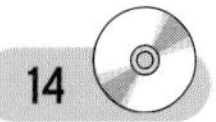

a. Hören Sie und ergänzen Sie die Zahlen.

1. Ich bin 16. Meine Großmutter ist ....
2. Ich bin .... Mein Hund ist .... Jahre alt.
3. Ich bin .... Mein Großvater ist ....
4. Ich bin .... Mein Vater ist ....
5. Ich bin .... Mein Lehrer ist ....

b. Sprechen Sie die Sätze nach.

Das ist meine Familie.

a. Hören Sie zu. Lesen Sie die Aussagen dann laut vor.

- Das ist mein Bruder. Er ist 24 Jahre alt. Sein Name ist Uwe. Der Hund von Uwe heißt Bello.
- Das ist meine Mutter. Sie wohnt in Berlin. Ihr Auto ist 14 Jahre alt.
- Das sind meine Großeltern. Mein Großvater heißt Kurt und ist 72 Jahre alt. Meine Großmutter ist 68 und heißt Anna.
- Meine Schwester spielt Klavier. Sie heißt Emma. Ihre Tochter ist 2 Jahre alt.

b. Erzählen Sie von Ihrer Familie. Sie können die folgenden Ausdrücke verwenden.

mein	Vater Bruder Mann Sohn	ist sind	... Jahre alt
meine	Mutter Schwester Frau Tochter	heißt heißen	...
meine	Eltern Großeltern Geschwister	wohnt wohnen	in ...

5 Fokus Schreiben

1 Hören Sie zu und schreiben Sie.

a. Hören Sie zuerst den Text ganz. Hören Sie dann Satz für Satz und schreiben Sie.

Da ist ein Tourist. Er .... Aber da ist .... Taxi. Da ist kein ....
Ein Kamel .... Der Tourist .... : „Guten Tag". Aber das Kamel ....

b. Hören Sie zum Schluss den Text noch einmal und kontrollieren Sie.

2 Vokale und Umlaute

a. Ergänzen Sie zuerst die Buchstaben.

a | ä | au   e | ei   i | ie   o | ö   u | ü

a. Ein	Vater	sagt	„Hallo".
b. A cht	V...ter	sagen	„Tschüs".
c. Eine	T...chter	kommt	aus Köln.
d. Zw...lf	T...chter	kommen	aus München.
e. Eine	M...tter	schickt	Blumen.
f. F...nf	M...tter	schicken	Briefe.
g. S...ben	Tour...sten	schreiben	ein Wort.
h. V...r	J...ngen	lieben	Wien.
i. Zw...	M...dchen	leben	in Wien.
j. Z...hn	Fr...en	träumen	in Berlin.

b. Hören Sie dann und kontrollieren Sie.

3 Schreiben Sie andere Sätze mit den Wörtern aus Übung 2.

Eine Mutter sagt „Tschüs".
Acht Töchter schreiben in Berlin.
Acht Väter ....

4 Wie heißt das auf Deutsch? Ergänzen Sie die Artikel und Nomen.

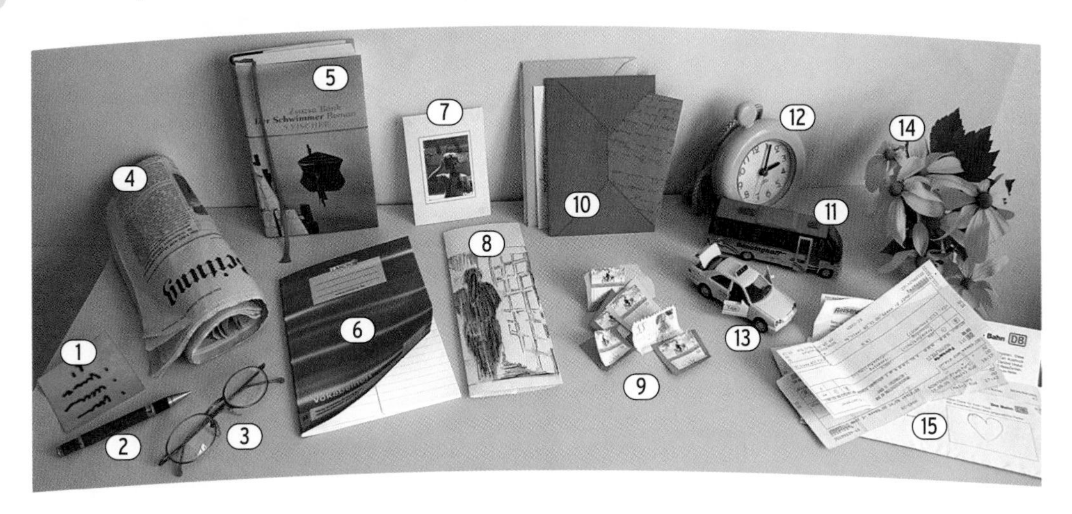

1 der Zettel	6 das Heft	11 ………… …………
2 der Kugelschreiber	7 ………… …………	12 ………… …………
3 die Brille	8 die Zeichnung	13 ………… …………
4 ………… …………	9 die Briefmarken	14 ………… …………
5 das Buch	10 ………… …………	15 die Fahrkarten

5 „Da ist …“ / „Da ist kein …“

Vergleichen Sie die beiden Bilder. Arbeiten Sie in kleinen Gruppen.

Bild 1 (Übung 4):

⊙ *Da ist ein Zettel.*
Da ist ein Kugelschreiber.
Da ist eine …
Da sind …
…

Bild 2 (Übung 5):

◆ *Da ist auch ein Zettel.*
Da ist kein Kugelschreiber.
Da ist auch …
Da sind auch …/Da sind keine …
…

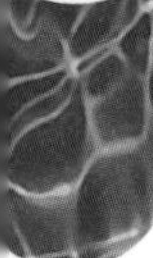

6 Eine Ansichtskarte

Wie heißt das auf Deutsch? Ergänzen Sie die Nummern.

- ~~1 das Datum~~
- 2 der Empfänger
- 3 der Absender
- 4 die Adresse
- 5 die Briefmarke
- 6 die Postleitzahl
- 7 die Unterschrift
- 8 der Gruß

7 „Viele Grüße von Benno."

Lesen Sie die Ansichtskarte.

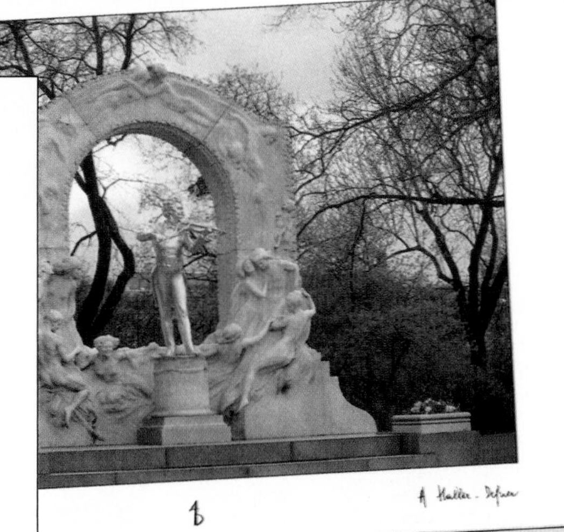

Hallo Ingrid,

hier ist Benno auf Europa-Reise! Heute ist Sonntag, und ich bin in Wien. Wien ist wunderbar! Das Wetter ist gut, die Leute sind nett. Morgen bin ich in Salzburg.

Viele Grüße

Benno

Ingrid Bergmann
Steubenstraße 54

D - 14050 Berlin

8 „Hallo Uwe" – „Hallo Maria" – „Hallo ..."

Schreiben Sie Ansichtskarten. Die Tabelle hilft Ihnen.

Wochentag	**Ort**	**Karte an ...**	**Stadt**	**Wetter**	**Leute**
Sonntag	Wien	Ingrid	wunderbar	gut	nett
Montag	Salzburg	Uwe	toll	nicht so gut	interessant
Dienstag	München	Maria	interessant	schlecht	sympathisch
Mittwoch	Zürich	Jens	wunderbar	scheußlich	prima
Donnerstag	Stuttgart	Eva	sympathisch	herrlich	angenehm
Freitag	Berlin	Walter	schön	fantastisch	toll
Samstag	Hamburg	Rebekka	herrlich	prima	freundlich

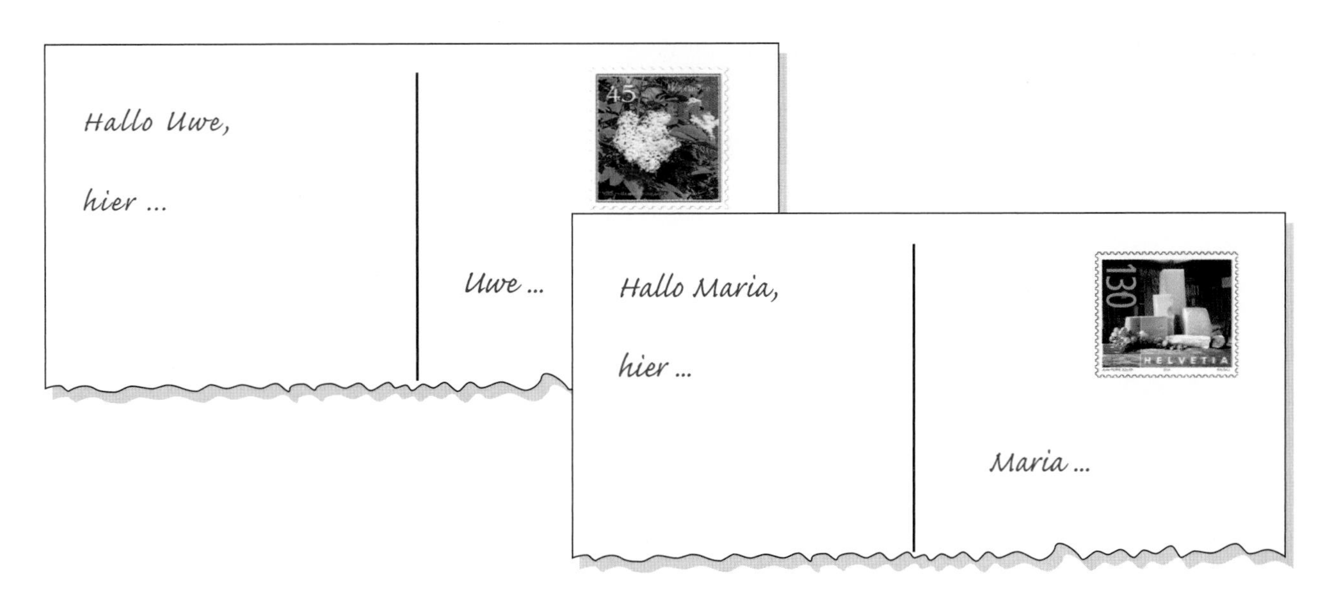

Gleis
5
Süd
Abfahrt 13 35
Würzburg-Fulda
ICE besonderer Fahrpreis
Göttingen-Hannover
Züge vereinigt
Hamburg
B
B

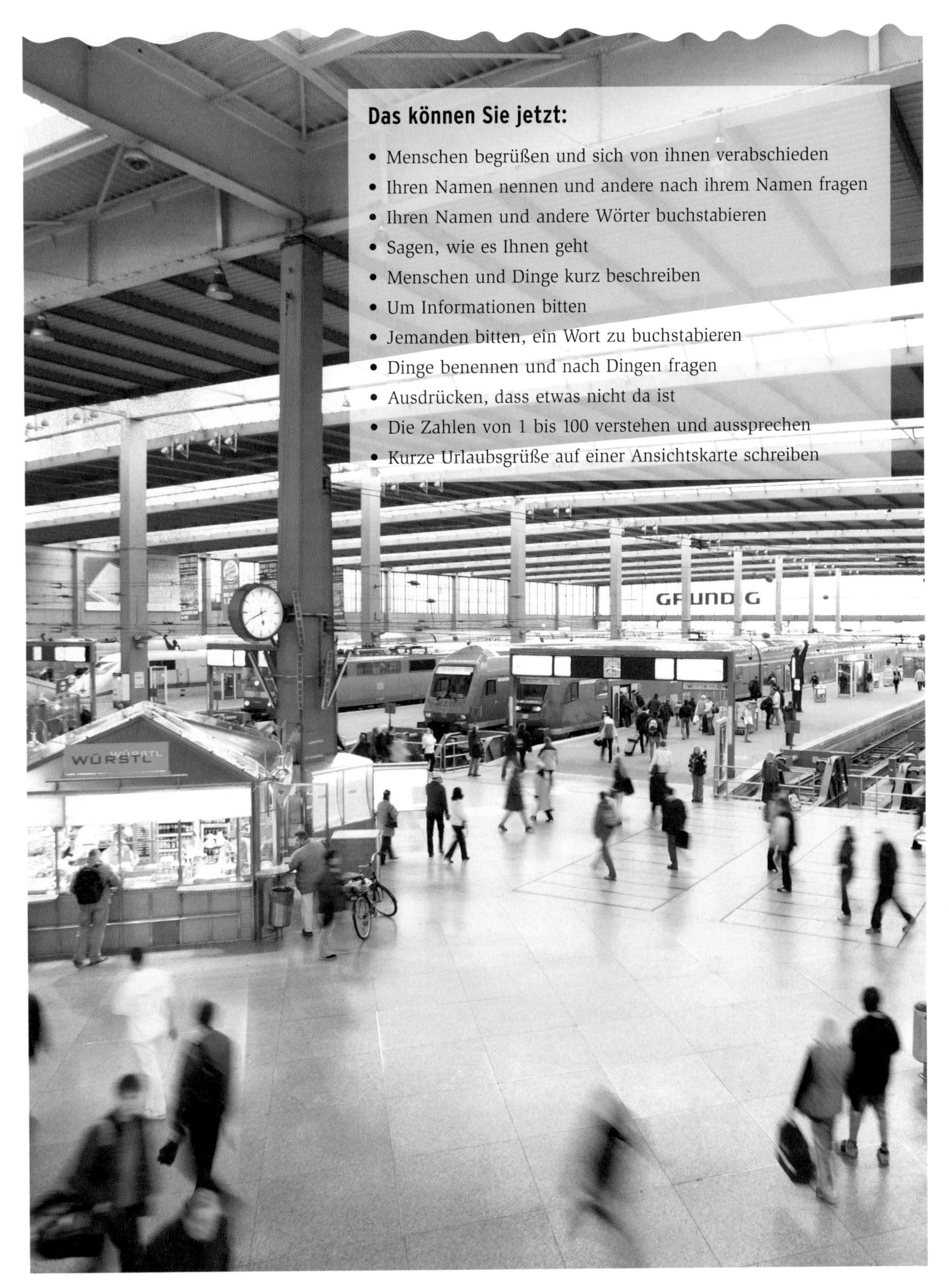

Das können Sie jetzt:

- Menschen begrüßen und sich von ihnen verabschieden
- Ihren Namen nennen und andere nach ihrem Namen fragen
- Ihren Namen und andere Wörter buchstabieren
- Sagen, wie es Ihnen geht
- Menschen und Dinge kurz beschreiben
- Um Informationen bitten
- Jemanden bitten, ein Wort zu buchstabieren
- Dinge benennen und nach Dingen fragen
- Ausdrücken, dass etwas nicht da ist
- Die Zahlen von 1 bis 100 verstehen und aussprechen
- Kurze Urlaubsgrüße auf einer Ansichtskarte schreiben

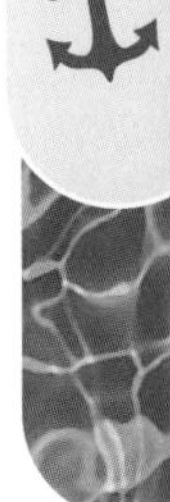

Deutsch lernen

1 | 32

❂ Guten Tag. Kann ich Ihnen helfen?
▦ Oh ja, danke. Wie heißt das auf Deutsch?
❂ Wie heißt was auf Deutsch?
▦ Na, das da!
❂ Das da? Das ist eine Ansichtskarte.
▦ Der, die oder das?
❂ Wie bitte?
▦ Heißt es ‚der Ansichtskarte'? Oder ‚die Ansichtskarte'? Oder ‚das Ansichtskarte'?
❂ Es heißt ‚die Ansichtskarte'.
▦ Und wie schreibt man das?
❂ Wie bitte?
▦ Wie schreibt man das? Buchstabieren Sie bitte.
❂ A N S I C H T S K A R T E.
▦ Vielen Dank. Und das? Wie heißt das auf Deutsch?
❂ Was?
▦ Na, das da …
❂ Das ist eine Zeitung.
▦ Zeitung? Buchstabieren Sie bitte.
❂ Jetzt hören Sie mal, ich bin Verkäuferin. Ich bin kein Wörterbuch!
▦ Wörterbuch? ... Heißt es der, die oder das Wörterbuch?

Themenkreis

Personen und Aktivitäten

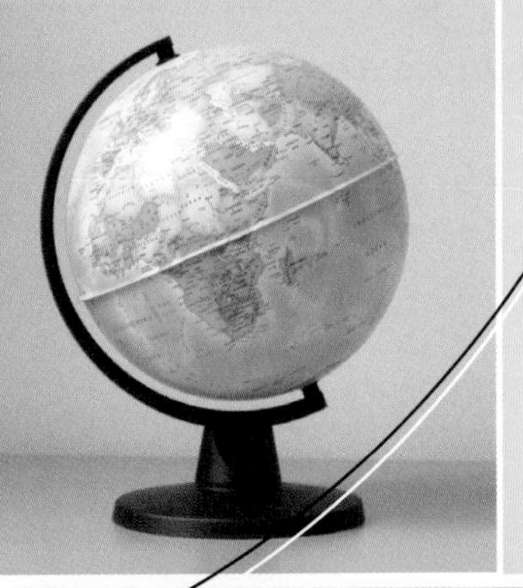

Fokus Strukturen

1 Zwei Familien auf dem Campingplatz

Betrachten Sie die Zeichnung. Was können Sie schon dazu sagen?

○ *Da ist ein Mann …*
◆ *Da sind Kinder …*

2 Was passt zusammen?

Schreiben Sie die passenden Verben unter die Nomen.

1 der Name	2 das Telefon	3 der Fotoapparat	4 das Surfbrett	5 der Gaskocher	6 die Stadt
heißen	....	....	....	....	....

surfen ◎ kommen aus ◎ ~~heißen~~ ◎ telefonieren ◎ kochen ◎ fotografieren

3 Was passt zur Familie links (l), was passt zur Familie rechts (r)?

a. r Sie kommen aus Kopenhagen.
b. ☐ Sie telefoniert.
c. ☐ Sie heißen Schneider.
d. ☐ Ihr Hobby ist Surfen.
e. ☐ Sie kochen.
f. ☐ Sie sind aus München.
g. ☐ Sie haben Zwillinge.
h. ☐ Ihre Kinder machen ein Computerspiel.
i. ☐ Er ist Fotograf.
j. ☐ Ihr Hund und ihre Katze sind Freunde.

4 Herr Schneider fragt. Frau Jensen antwortet.

Welche Antwort passt?

a. Woher kommen Sie? 3
b. Wie heißen Sie?
c. Was sind Sie von Beruf?
d. Was ist Ihr Hobby?
e. Wie alt sind Ihre Kinder?

1. Wir surfen gern.
2. Mein Mann ist Fotograf und ich bin Ärztin.
3. Wir kommen aus Kopenhagen.
4. Unsere Zwillinge sind vier Jahre alt.
5. Wir heißen Jensen.

5 Herr Jensen fragt. Frau Schneider antwortet.

Ergänzen Sie die Antworten.

a. Woher kommen Sie? — Wir sind 4
b. Wie heißen Sie? — Wir heißen
c. Was sind Sie von Beruf? — Mein Mann ist Mathematiklehrer
d. Was ist Ihr Hobby? — Unser Hobby ist
e. Wie alt sind Ihre Kinder? — Unser Sohn ist neun

1. Schneider. 2. Tennis. 3. und unsere Tochter ist elf. ~~4.~~ aus München. 5. und ich bin Sportlehrerin.

6 Zwei andere Familien auf dem Campingplatz

a. Ergänzen Sie die Verbformen.

a. Sind Sie aus Berlin? Nein, wir *sind* aus Hamburg.
b. Heißen Sie Möller? Nein, wir .... Müller.
c. Was ist Ihr Hobby? Wir .... gern Tennis.
d. Surfen Sie gern? Nein, wir .... nicht.
e. Haben Sie Kinder? Ja, wir .... drei Kinder.

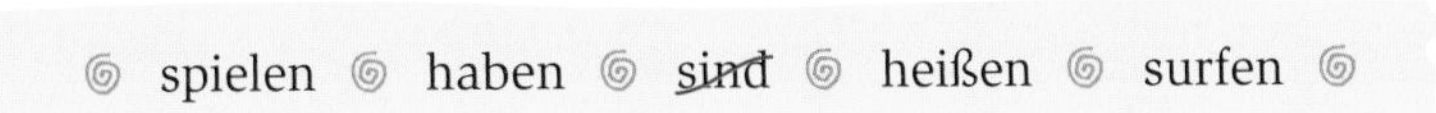

spielen haben ~~sind~~ heißen surfen

kommen	**wir** komm**en**
spielen	**wir** spiel**en**
haben	**wir** hab**en**
sein	**wir sind**

b. Ergänzen Sie „unser" oder „unsere".

a. *Unser* Familienname ist Schulze.
b. .... Hobby ist Surfen.
c. .... Kinder spielen Ball.
d. .... Sohn ist vier und .... Tochter sieben.
e. .... Hund heißt Paul und .... Katze heißt Klara.

der Sohn	unser Sohn
die Tochter	unser**e** Tochter
das Hobby	unser Hobby
die Kinder	unser**e** Kinder

7 „Wartest du schon lange?“

a. Hören Sie das Gespräch und lesen Sie mit. 1 | 33 

- ⊙ Hallo. Wartest du schon lange hier?
- ◆ Na ja, schon eine Stunde.
- ⊙ Schon eine Stunde?
- ◆ Ja. Mein Bus kommt nicht und mein Regenschirm ist kaputt.
- ⊙ Kein Problem. Mein Regenschirm ist groß. Bitte.
- ◆ Danke schön, das ist sehr nett.

b. Spielen Sie das Gespräch mit einem Partner.

8 „Wartet ihr schon lange?“

a. Hören Sie das Gespräch und lesen Sie mit. 1 | 34 

- ⊙ Hallo. Wartet ihr schon lange hier?
- ◆ Na ja, etwa 20 Minuten.
- ⊙ Schon so lange?
- ◆ Ja. Unser Taxi kommt nicht.
- ⊙ Warum telefoniert ihr nicht?
- ◆ Unsere Mobiltelefone sind leer.
- ⊙ Kein Problem. Unsere Handys funktionieren. Hier, bitte.
- ◆ Vielen Dank, das ist toll.

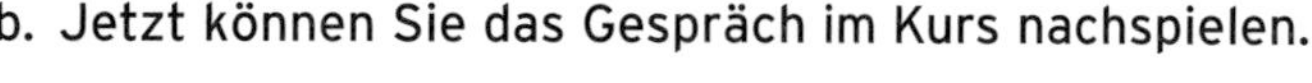

b. Jetzt können Sie das Gespräch im Kurs nachspielen.

c. Variieren Sie das Gespräch. Sie können folgende Ausdrücke verwenden:

Seid | ihr schon lange hier?

Na ja, | schon | eine halbe Stunde.

Schon | eine halbe Stunde? / so lange?

Ja, | unsere Freunde kommen nicht. / unsere Eltern kommen nicht.

Warum telefoniert ihr nicht?

Unsere Handys sind | kaputt. / leer.

| Kein Problem. / Das ist nicht schlimm.

Unsere Handys | funktionieren. / sind okay. | Hier, bitte.

Danke schön, / Vielen Dank, | das ist | sehr nett. / sehr freundlich. / toll.

telefonieren	**wir** telefonier**en**	**ihr** telefonier**t**
warten	**wir** wart**en**	**ihr** wart**et**
sein	**wir sind**	**ihr seid**

9 „Habt ihr Probleme?“

a. Betrachten Sie die Zeichnung und lesen Sie die neuen Wörter.

b. Lesen Sie zuerst das Gespräch und hören Sie es dann.

1 | 35

- ⊙ Hallo, habt ihr Probleme?
- ◆ Na ja.
- ⊙ Seid ihr schon lange hier?
- ◆ Na ja, zwei Tage.
- ⊙ Woher kommt ihr denn?
- ◆ Aus Hamburg. Und ihr?
- ⊙ Wir sind aus Rostock. Ist euer Zelt kaputt?
- ◆ Nein, unser Zelt ist nass.
- ⊙ Sind eure Schlafsäcke auch nass?
- ◆ Ja, natürlich. Und unsere Luftmatratze ist kaputt. Wir packen.
- ⊙ Warum denn? – Unser Zelt ist trocken, unsere Luftmatratzen sind bequem, unsere Schlafsäcke sind sauber …
- ◆ Wie bitte? – Ihr spinnt wohl!

1 das Zelt, die Zelte
2 der Schlafsack, die Schlafsäcke
3 die Luftmatratze, die Luftmatratzen
4 der Pullover, die Pullover
5 die Jacke, die Jacken
6 der Schuh, die Schuhe
7 der Rucksack, die Rucksäcke
8 das Haar, die Haare

c. Was ist richtig? Kreuzen Sie an. 

Die Jungen:

1. Die Jungen packen.
2. Ihre Luftmatratzen sind bequem.
3. Ihre Schlafsäcke sind sauber.
4. Ihr Zelt ist nass.

Die Mädchen:

5. Die Mädchen haben Probleme.
6. Sie sind erst zwei Stunden hier.
7. Ihr Zelt ist kaputt.
8. Ihre Schlafsäcke sind nass.

d. Jetzt können Sie das Gespräch im Kurs nachspielen.

e. Variieren Sie das Gespräch. Benutzen Sie auch andere Gegenstände aus der Zeichnung.

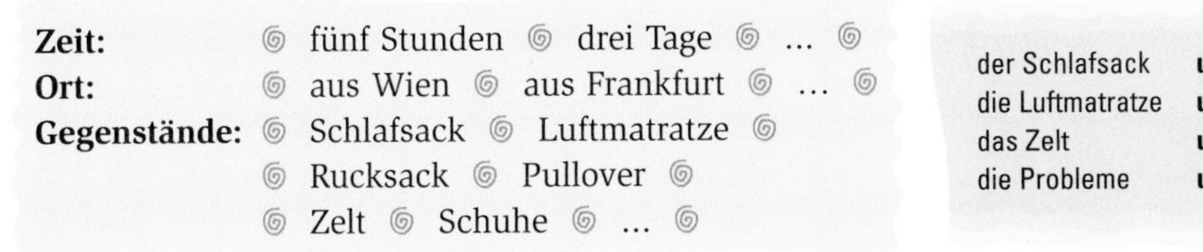

Zeit: ◎ fünf Stunden ◎ drei Tage ◎ … ◎
Ort: ◎ aus Wien ◎ aus Frankfurt ◎ … ◎
Gegenstände: ◎ Schlafsack ◎ Luftmatratze ◎ Rucksack ◎ Pullover ◎ Zelt ◎ Schuhe ◎ … ◎

der Schlafsack	**unser** Schlafsack	**euer** Schlafsack
die Luftmatratze	**unsere** Luftmatratze	**eure** Luftmatratze
das Zelt	**unser** Zelt	**euer** Zelt
die Probleme	**unsere** Probleme	**eure** Probleme

Fokus Lesen

1 Was können die Kinder, der Mann ...? Was nicht?

Betrachten Sie die Zeichnungen und lesen Sie die Sätze. Was passt?

a. ◯ Die Frauen können tief tauchen.
b. ◯ Der Mann kann nicht reiten.
c. ◯ Die Kinder können gut singen.
d. ◯ Das Mädchen kann gut rechnen.
e. ◯ Die Katze kann hoch springen.
f. ◯ Der Junge kann nicht schwimmen.

2 „Ich kann sehr gut schwimmen."

a. Was können Sie gut/nicht so gut? Stellen Sie Ihre Antworten im Kurs vor. ✗

	sehr gut	gut	nicht so gut	nicht
schwimmen				
tauchen				
fotografieren				
zeichnen				
rechnen				
kochen				
singen				
...				

	können
ich	**kann**
du	**kannst**
er / sie / es	**kann**
wir	**können**
ihr	**könnt**
sie / Sie	**können**

b. „Was kannst du?"
Fragen Sie einen Partner.

⊙ *Kannst du gut schwimmen?*
◆ *Ja, ich kann sehr gut schwimmen./*
Nein, ich kann nicht so gut schwimmen.
...

c. Stellen Sie die Antworten vor.

⊙ *... kann sehr gut schwimmen.*
Er/sie kann nicht so gut ...
... kann gut ...
Er/sie kann nicht ...

3 Er kann ...

a. Betrachten Sie das Foto und lesen Sie das Beispiel.

Er kann fotografieren.
Er kann gut fotografieren.
Er kann sehr gut Touristen fotografieren.

b. Was kann er noch? Schreiben Sie weitere Beispiele.

Er kann	gut	Touristen, Katzen, Blumen ... fotografieren
	sehr gut	Spaghetti, Würstchen, Kaffee, Tee ... kochen
	ganz toll	Klavier, Gitarre ... spielen
	schnell	SMS, Ansichtskarten, Briefe ... schreiben
	sehr schnell	Lieder singen
		Computerspiele machen

Er **kann**			**kochen**.
Er **kann**		Spaghetti	**kochen**.
Er **kann**	sehr gut	Spaghetti	**kochen**.

4 Sie kann ...

Welche Sätze hören Sie? 

a. ◯ Natürlich kocht sie gut.
b. ◯ Sie kocht nicht so gut.

c. ◯ Leider kann sie nicht Klavier spielen.
d. ◯ Sie spielt wunderbar Klavier.

e. ◯ Sie singt nicht so schön.
f. ◯ Natürlich singt sie wunderschön.

g. ◯ Sie kann leider nicht tanzen.
h. ◯ Natürlich tanzt sie wunderbar.

i. ◯ Kann sie fotografieren?
j. ◯ Sie fotografiert auch ganz toll.

k. ◯ Sie kommt leider erst Montag.
l. ◯ Morgen kommt sie.

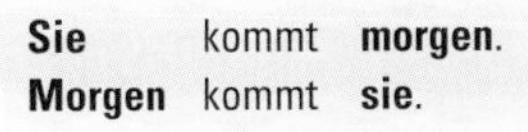

Sie	kommt	**morgen**.
Morgen	kommt	**sie**.

5 Was passt zu dem Foto?

Diskutieren Sie im Kurs.

- Er trinkt sehr schnell. Er hat Durst.
- Sein Beruf: Er testet Mineralwasser.
- Sein Rekord: Er kann in zwei Minuten drei Flaschen Mineralwasser trinken.
- Er trinkt Mineralwasser. Er hat Probleme.

○ *Ich glaube, er trinkt sehr schnell. Er hat Durst.*
◆ *Nein, ich glaube, er testet …*
□ *Ich glaube, er kann …*

6 Betrachten Sie die Fotos auf der rechten Seite. Lesen Sie den Text noch nicht.

Was, glauben Sie, können die Personen sehr gut oder sehr schnell?

- *Die Frau kann vielleicht gut Computer reparieren.*
  Ich glaube, sie repariert sehr schnell Autos.
  Sie fotografiert Autos, glaube ich.
  ...

- *Er kann vielleicht gut Kinder zeichnen.*
  ...

- *Ich glaube, er ...*
  ...

gut | schnell | prima ...

Autos | Polizeiautos | Computer | ... | reparieren

Katzen | Blumen | Luftballons ... fotografieren / zeichnen

Koffer | Taschen | Rucksäcke ... packen

tanzen | singen | rechnen | schwimmen | schreiben ...

7 Lesen Sie jetzt den Text Abschnitt für Abschnitt.

Ergänzen Sie jeweils danach die Tabelle.

Familienname	Vorname	Alter	Beruf	Familienstand	Wohnort
Sundermann					
	Natascha				Stade
Thien		27		ledig	
			Frisör		

8 Was ist richtig? 

a. Thaisong Thien kann in zwei Minuten sechs Gesichter zeichnen.
b. Seine Zeichnungen sind schlecht.

c. Natascha Schmitt kann in 17 Sekunden ein Rad wechseln.
d. Sie arbeitet nicht in Stade.

e. Max Claus kann in drei Minuten dreißig Luftballons rasieren.
f. Seine Luftballons platzen.

g. Werner Sundermann trinkt nicht gern Alkohol.
h. Er kann blind 25 Sorten Mineralwasser erkennen.

9 Schreiben Sie die Sätze anders.

a. Werner Sundermann erkennt bald 25 Sorten Mineralwasser. → Bald erkennt Werner Sundermann ...
b. Natascha Schmitt wechselt in 27 Sekunden ein Rad. → In 27 ...
c. Max Claus schneidet normalerweise Haare. → Normalerweise ...
d. Thaisong Thien zeichnet sehr schnell.
Seine Zeichnungen sind trotzdem gut. → Trotzdem ...

Rekorde, Rekorde

Wasser ist Wasser – denken Sie vielleicht. Aber nicht für Werner Sundermann. Der Möbeltischler aus Radebeul bei Dresden ist 37 Jahre alt, verheiratet und hat drei Kinder. Er trinkt nicht gern Bier oder Wein, aber **er kann blind 18 Sorten Mineralwasser erkennen** – mit oder ohne Kohlensäure. Er meint: „Vielleicht schaffe ich bald 25. Ich trainiere fleißig." – Na dann: Prost!

Natascha Schmitt ist Krankenschwester von Beruf. Sie ist 32 Jahre alt, geschieden, wohnt in Stade und arbeitet in Hamburg. Natascha Schmitt liebt Autos. Reifenpanne? – Kein Problem! **Sie kann in 27 Sekunden ein Rad wechseln.** Das ist Weltrekord!

Thaisong Thien, 27, ist Kunststudent und ledig. Er wohnt und studiert in Berlin. Wie verdient er Geld? **Er zeichnet Touristen.** Das kann er sehr schnell. Sein Rekord: Sechs Gesichter in zwei Minuten. Trotzdem sind die Zeichnungen gut und die Touristen sind immer zufrieden.

Max ist sein Vorname. Sein Familienname ist Claus. 26 Jahre ist er und ledig. Er wohnt in Wuppertal und ist Frisör. Normalerweise schneidet er Haare und rasiert Bärte. Pro Bart braucht er etwa fünf Minuten. Aber er kann auch sehr gut und **sehr schnell Luftballons rasieren.** Sein Rekord: 30 Luftballons in drei Minuten. Und kein Ballon platzt.

Fokus Hören

1 Lebensmittel im Angebot

a. Lesen Sie die Angebote.

b. Hören Sie die Durchsage im Supermarkt und ergänzen Sie die Preise.

c. Ergänzen Sie die Tabelle.

Milch		Tomaten	Bananen	
1 Liter	500 Gramm		5 Kilo	5 Kilo
€ 0,95	€ 2,70	€ 2,25	€	€ 6,45

Karotten	Zwiebeln		Kartoffeln
	2 Kilo	500 Gramm	
€ 3,99	€	€ 3,55	€ 3,30

500 Gramm = 1 Pfund
1000 Gramm = 1 Kilogramm (Kilo)

d. „Was kostet ...?" Üben Sie Frage und Antwort mit einem Partner.

- ○ *Was kostet das Brot?*
- ◆ *Ein Pfund kostet/500 Gramm kosten zwei Euro und siebzig Cent.*
- ○ *Was kosten die Kartoffeln?*
- ◆ *Zehn Kilo kosten drei Euro und dreißig Cent.*
- ○ *Was kostet ...?/Was kosten ...?*

- die Milch
- die Tomate, die Tomaten
- die Banane, die Bananen
- die Zwiebel, die Zwiebeln
- der Apfel, die Äpfel
- das Brot, die Brote
- die Karotte, die Karotten
- die Kartoffel, die Kartoffeln
- der Pilz, die Pilze

2 Zahlen von 100 bis 1000

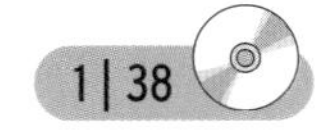

a. Hören Sie die Zahlen und sprechen Sie nach.

100	hundert	**101**	hunderteins	**120**	hundertzwanzig
200	zweihundert	**202**	zweihundertzwei	**121**	hunderteinundzwanzig
300	dreihundert	**303**	dreihundertdrei	**122**	hundertzweiundzwanzig
400	vierhundert	**404**	vierhundertvier	**123**	hundertdreiundzwanzig
500	fünfhundert	…		…	
600	sechshundert	**111**	hundertelf	**333**	dreihundertdreiunddreißig
700	siebenhundert	**212**	zweihundertzwölf	**555**	fünfhundertfünfundfünfzig
800	achthundert	**313**	dreihundertdreizehn	**777**	siebenhundertsiebenundsiebzig
900	neunhundert	**414**	vierhundertvierzehn	**888**	achthundertachtundachtzig
1000	tausend	…		**999**	neunhundertneunundneunzig

b. Üben Sie die Zahlen in kleinen Gruppen.
Diktieren Sie sich gegenseitig Zahlen zwischen 100 und 1000 und vergleichen Sie.

3 Wie viel Euro sind das?

Lösen Sie die Aufgabe mit einer Partnerin/einem Partner.

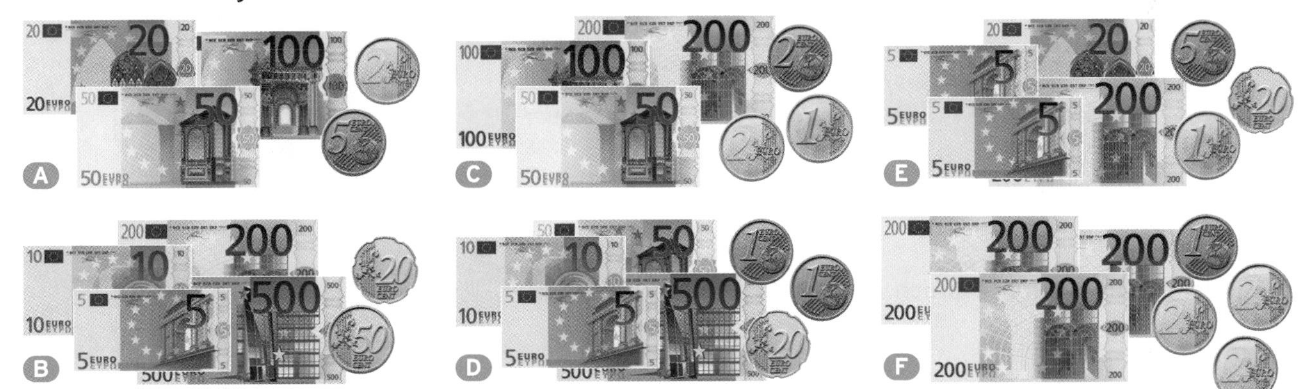

A: ⊙ *Das sind … Euro und … Cent.*
◆ *Das stimmt./Nein, das sind …*

4 Wie viel wiegt das?

a. Hören Sie das Gespräch.

b. Ergänzen Sie. Wie viel Gramm sind es genau?

Die Zwiebeln wiegen *748* Gramm.
Die Äpfel wiegen .... Gramm.
Die Kartoffeln wiegen .... Gramm.
Die Tomaten wiegen .... Gramm.
Die Karotten wiegen .... Gramm.
Die Pilze wiegen .... Gramm.

5 Im Kaufhaus 1 | 40

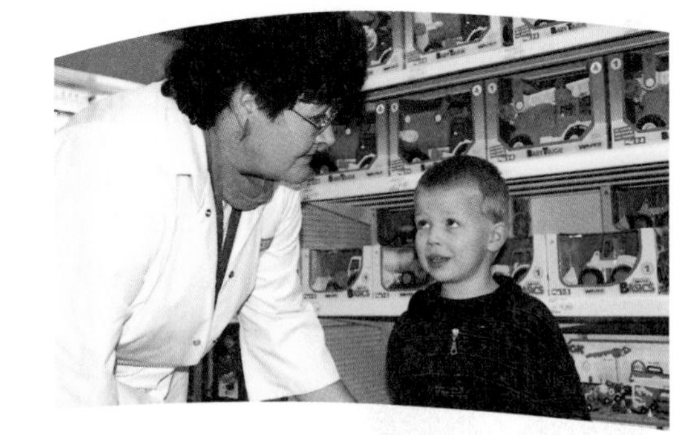

a. Hören Sie das Gespräch. Was fragt die Verkäuferin? ✗

1. Was machst du hier?
2. Weinst du?
3. Bist du traurig?
4. Wie heißt du denn?
5. Wie ist dein Vorname?
6. Wie ist dein Nachname?
7. Wo wohnst du?
8. Wie alt bist du?

b. Hören Sie das Gespräch noch einmal. Was ist richtig? ✗

1. Jan ist 5 Jahre alt und heißt mit Nachnamen Peter. Seine Mutter ist weg, aber sein Vater ist da.
2. Peter Bauer (5 Jahre) weint, denn sein Hund ist weg. Seine Eltern sind auch traurig.
3. Der Junge heißt Jan-Peter Bauer und ist vier Jahre alt. Er weint, denn seine Eltern sind weg.

6 Pizza-Express

a. Was sehen Sie auf dem Foto?
Was glauben Sie? Sprechen Sie darüber im Kurs.

⊙ *Da ist ein Mädchen und da ist ein …*
◆ *Das Mädchen ist vielleicht … Jahre alt.*
□ *Nein, das glaube ich nicht. Es ist …*
⊙ *Das Mädchen …*
◆ *Vielleicht sind die Eltern …*
□ …

b. Hören Sie das Telefongespräch. Was ist richtig? ✗ 1 | 41

1. Lisa bestellt 8 Pizzas.
   Lisa bestellt 11 Pizzas.
2. Lisas Eltern sind nicht da.
   Ihr Vater ist da, aber ihre Mutter nicht.
3. Ihre Adresse ist Beethovenstraße 9.
   Ihre Adresse ist Beethovenstraße 19.
4. Lisas Freundin ist da.
   Lisas Freunde sind da.
5. Ihr Freund heißt Bello.
   Ihr Hund heißt Bello.
6. Lisa ist glücklich. Die Pizzas kommen.
   Lisa ist traurig. Die Pizzas kommen nicht.

7 Ergänzen Sie.

a. Das ist der Hund von Lisa. – Das ist *Lisas* Hund.
b. Der Hund von Lisa heißt Bello. – ………… Hund heißt Bello.
c. Wo sind die Eltern von Peter? – Wo sind ………… Eltern?
d. Wie ist der Nachname von Claus? – Wie ist ………… Nachname?
e. Das Auto von Natascha hat eine Panne. – ………… Auto hat eine Panne.

Genitiv bei Eigennamen

Lisa**s** Hund
Claus**'** Katze

8 Musikquiz im Radio

a. Hören Sie zuerst nur die Begrüßung und die Musik. 

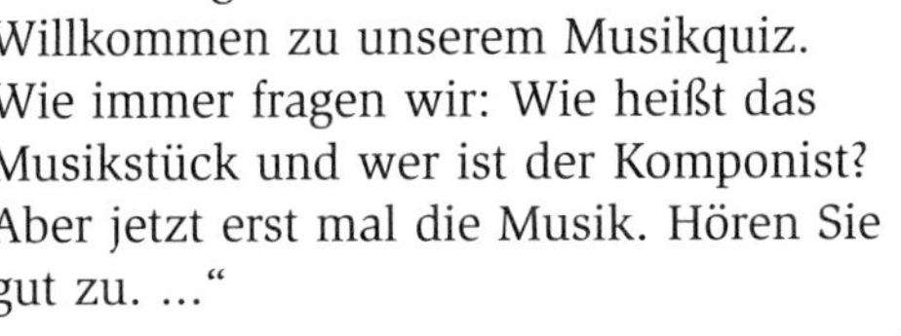

Joseph Haydn (1732–1809)

Johannes Brahms (1833–1897)

Ludwig van Beethoven (1770–1827)

Wolfgang Amadeus Mozart (1756–1791)

b. Ist die Musik von Haydn, Beethoven, Brahms oder Mozart? Was glauben Sie? Diskutieren Sie im Kurs.

⊙ *Ich glaube, die Musik ist von Mozart.*
◆ *Das glaube ich auch.*
□ *Nein, das glaube ich nicht. Ich glaube, ...*

c. Hören Sie jetzt die vier Anrufe. Notieren Sie dann die Lösungen. 

a. Wer hat Geburtstag? 2
b. Wer wohnt in Bremen?
c. Wer ist 17 Jahre alt?
d. Wer kommt aus Oldenburg?
e. Wer hat zwei Kinder?
f. Wer studiert?
g. Wer sagt die richtige Lösung?

1 Roswitha Beier
2 Rudolf Geißler
3 Jochen König
4 Klaus Beckmann

h. Und wie heißt der Komponist? ....

9 Rocklegenden, Poplegenden

a. Hören Sie zu und schreiben Sie die Jahreszahlen. 

a. Jimi Hendrix ist .... geboren und .... gestorben.
b. Ray Charles ist .... geboren und .... gestorben.
c. Freddy Mercury ist .... geboren und .... gestorben.
d. Elvis Presley ist .... geboren und .... gestorben.

b. Wie viel Geld gewinnt der Kandidat?

Er gewinnt .... Euro.

Jahreszahlen
1800 achtzehnhundert
1809 achtzehnhundertneun
1991 neunzehnhunderteinundneunzig
2000 zweitausend
2004 zweitausendvier

10 „Musiker, Maler, Autoren“

Machen Sie im Kurs ein Quiz mit Jahreszahlen.

 *Wann ist ... geboren/gestorben?*

Fokus Sprechen

1 Zischlaute ...

Hören Sie die Wörter und sprechen Sie nach.  

Katze	Pizza	Zug	zehn	zwei	Gesicht	Saft
Matratze	Pilze	Zahl	Zelt	Zwilling	rasieren	sehr
platzen	Polizei	Zukunft	zufrieden	Zwiebel	Lösung	sauber
sechs	Bus	Gruß	dreißig	Flasche	schön	Schlafsack
Sorte	Kuss	groß	fleißig	Tasche	schnell	schneiden
Sohn	Tschüs	nass	Wasser	Tischler	scheußlich	schaffen

2 Zwei Matratzen platzen ...  

Hören Sie die Sätze. Üben Sie die Aussprache dann im Kurs.

Zwei Matratzen platzen.
Lisa rasiert sieben Gesichter.
Das Wasser ist nass.
Schwester Natascha ist geschieden.
Das Zelt ist sehr sauber.
Sein Sohn schneidet zweihundertzwölf Zwiebeln.
Das sind siebenhundertsiebenundsiebzig Sorten Pilze.
Herr Sundermann schafft schnell zweiundzwanzig Flaschen.

3 Spielen Sie mit Wörtern.

Erfinden Sie fünf weitere Sätze wie in Übung 2. Schreiben Sie die Sätze auf einen Zettel. Tauschen Sie die Zettel dann im Kurs aus und lesen Sie die Sätze vor.

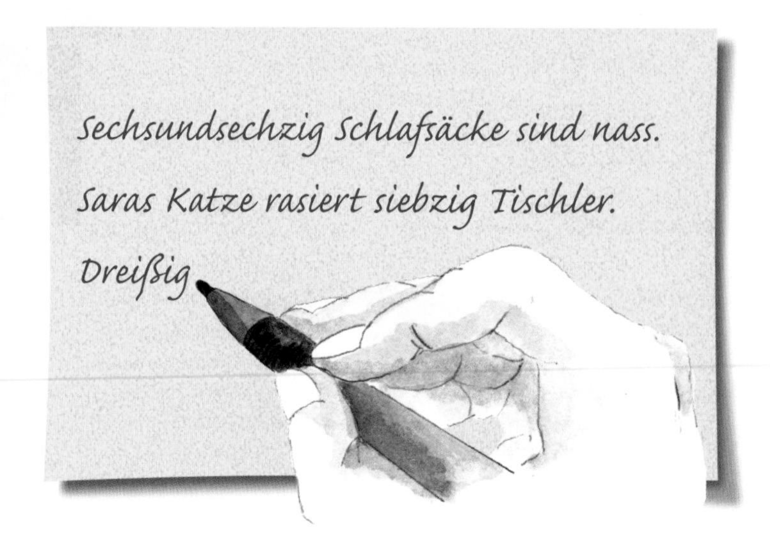

4 „Möchtest du etwas essen?“ „Habt ihr Durst?“

Hören Sie die Gespräche und lesen Sie mit.

a.  

⊙ Möchtest du etwas essen?
◆ Ja, gern. Ich habe Hunger. Haben wir Käse?
⊙ Ja. Mit oder ohne Brot?
◆ Lieber ohne Brot.

b.    

⊙ Habt ihr Durst?
◆ Oh ja. Wir möchten gern etwas trinken.
⊙ Möchtet ihr Saft?
◆ Nein, danke. Lieber Mineralwasser.

c. Spielen Sie die Gespräche in kleinen Gruppen.

5 Essen und trinken.

a. Betrachten Sie die Lebensmittel. Welche Wörter kennen Sie schon?

der Kaffee

die Birne

die Butter

der Tee

der Reis

das Fleisch

der Salat

der Schinken

der Essig

das Eis

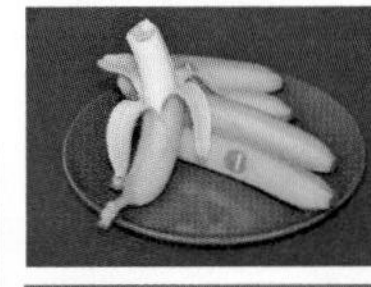

das Öl

der Käse

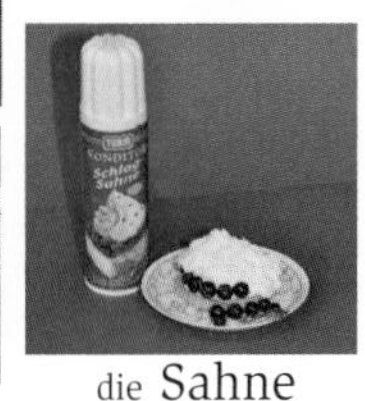

die Sahne

b. Schreiben Sie mit einer Partnerin/einem Partner Gespräche wie in Übung 4. Spielen Sie sie dann im Kurs. Sie können folgende Ausdrücke verwenden:

Hast du Habt ihr	Hunger? Durst?
Möchtest du Möchtet ihr	etwas essen? etwas trinken?

Salat mit/ohne Öl
Kaffee mit/ohne Milch
Pizza mit/ohne Zwiebeln
Fleisch mit/ohne Kartoffeln, Reis ...
Mineralwasser mit/ohne Kohlensäure
Eis mit/ohne Sahne

Ja, gern.
Nein, danke. Lieber ...

6 Konjugationsspiele

a. Hören Sie zu und ergänzen Sie.

Ich habe *Hunger*.	Ich möchte *tanzen*.
Du hast	Du möchtest ....
Er hat	Er möchte ....
Sie hat	Sie möchte ....
Wir haben	Wir möchten ....
Ihr habt	Ihr möchtet ....
Sie haben	Sie möchten ....

	haben	**möchten**
ich	hab**e**	möcht**e**
du	ha**st**	möcht**est**
er/sie/es	ha**t**	möcht**e**
wir	hab**en**	möcht**en**
ihr	hab**t**	möcht**et**
sie/Sie	hab**en**	möcht**en**

b. Lesen Sie Ihre Lösungen im Kurs vor und vergleichen Sie.

c. Machen Sie weitere Konjugationsspiele im Kurs. Suchen Sie Wörter aus Lerneinheit 1 bis 9. Ein Kursteilnehmer beginnt, der Nachbar sagt den nächsten Satz.

⊙ *Ich trinke Tee.* ◆ *Du trinkst Kaffee.* □ *Er …*

7 Ländernamen

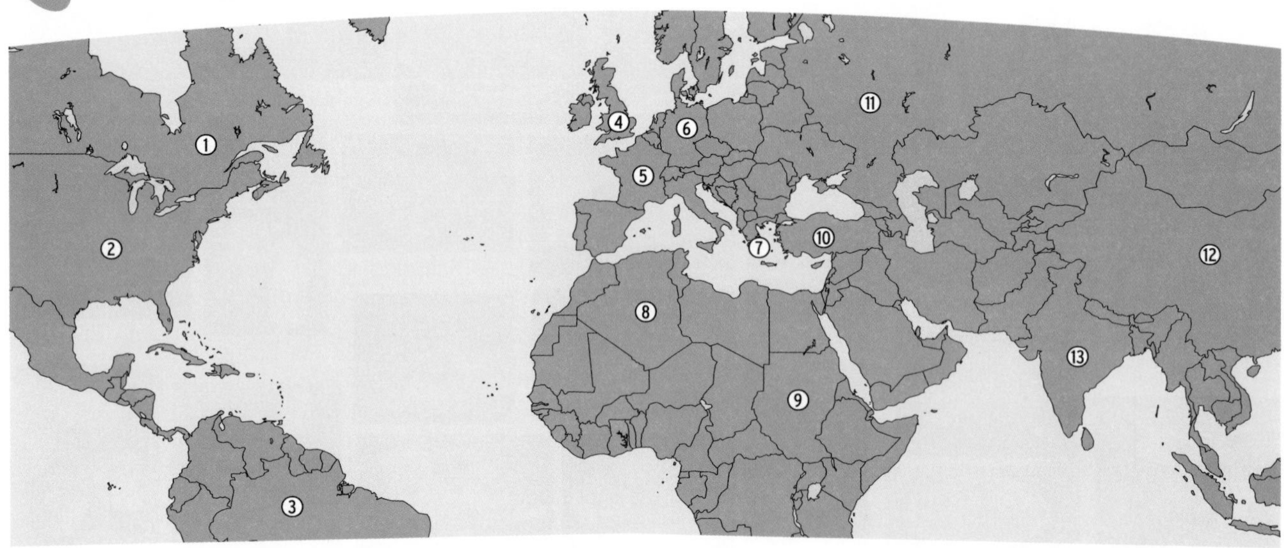

a. Wie heißen die Länder auf Deutsch? Ergänzen Sie die Nummern.

___ Indien	___ Frankreich	___ Deutschland	___ die U.S.A.	___ Algerien
1 Kanada	___ Großbritannien	___ China	___ der Sudan	___ die Türkei
___ Brasilien	___ Griechenland	___ Russland		

b. Woher kommen Sie? Woher kommen die anderen Kursteilnehmer? Fragen und antworten Sie.

⊙ *Woher kommen Sie?/Woher kommst du?*
◆ *Ich komme aus … Und Sie/du?*
⊙ *Ich komme aus …*

Ich komme aus	Brasilien. China. Frankreich. **dem** Sudan **der** Türkei. **den** U.S.A.

8 „Valeria kommt aus Italien."

a. Hören Sie die Gespräche und lesen Sie mit.

Gespräch 1  

1 | 50 22

- ⊙ Hallo, Volker!
- ◆ Tag Heike! Wie geht's?
- ⊙ Danke gut. Übrigens, das ist Valeria. Sie kommt aus Italien.
- ◆ Hallo, Valeria!
- □ Hallo.
- ◆ Studierst du hier?
- □ Nein, ich möchte hier arbeiten.
- ◆ Ach so.

Gespräch 2  

1 | 51 23

- ⊙ Guten Abend, Frau Humbold.
- ◆ Guten Abend, Herr Bloch.
- ⊙ Das ist Herr Winter.
- ◆ Freut mich. Guten Abend.
- □ Guten Abend.
- ⊙ Herr Winter kommt aus Australien. Er möchte hier eine Reportage machen.
- ◆ Ach, dann sind Sie Reporter?
- □ Nein, ich bin Fotograf.

b. Wählen Sie ein Gespräch aus und spielen Sie es zu dritt nach.

9 Variieren Sie die Gespräche aus Übung 8.

Guten	Tag. Morgen. Abend.	Wie geht es Wie geht's?	Ihnen? dir?
Das ist Übrigens, das ist	Frau ... Herr	Freut mich.	
Kommen Sie Kommst du	aus ... ?	Ich komme aus ...	
Studieren Sie Studierst du Arbeiten Sie Arbeitest du	hier?	Ich möchte hier ...	
Sind Sie Bist du	... ?	Ich bin ...	

◎ Deutsch lernen ◎ studieren ◎ arbeiten ◎ ein Praktikum machen ◎ malen ◎ fotografieren ◎ Musik machen ◎ eine Reportage machen ◎ ein Buch schreiben ◎

- ◎ Student / Studentin
- ◎ Maler / Malerin
- ◎ Fotograf / Fotografin
- ◎ Musiker / Musikerin
- ◎ Sänger / Sängerin
- ◎ Reporter / Reporterin
- ◎ Autor / Autorin

10 Fokus Schreiben

1 Hören Sie zu und schreiben Sie. 1 | 52

Maria ist 24 .... alt und Reporterin von ....

Sie .... aus Italien. Ihr .... ist ....

Sie .... sieben Gitarren. Trotzdem ist sie nicht ....

Sie .... lieber zwanzig Gitarren haben.

Natürlich .... ihre .... auch Gitarre ....

2 Menschen und Arbeit

Hören Sie die sechs Gespräche und ergänzen Sie die Wörter.

a. Der Medizinstudent möchte ein .... machen.

b. Die Frau möchte eine .... als Sekretärin.

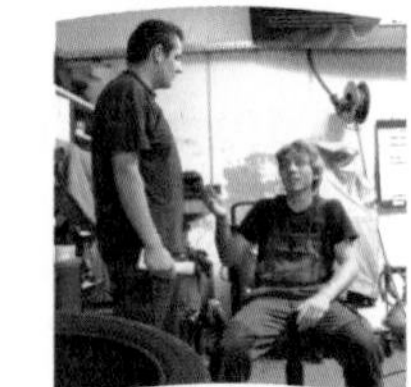

c. Der Mann sucht Arbeit, aber es ist kein .... frei.

d. Die Sekretärin hat nicht viel Arbeit. Ihr Chef ist im ....

e. Die Lehrerin heißt Yalcintepe. Ihr Ehemann ist ....

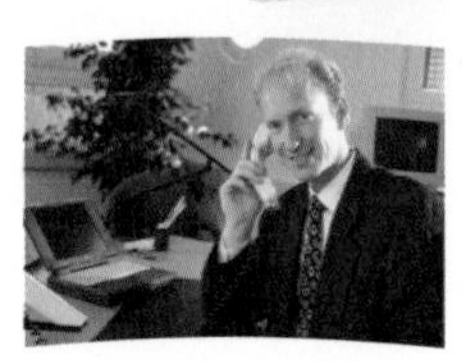

f. Der Mann buchstabiert. Die .... heißt ‚Deto'.

Ausland ◎ Stelle ◎ Ausländer ◎ Praktikum ◎ Firma ◎ Arbeitsplatz

3 Jana Pifkova ist Tschechin.

a. Lesen Sie den Text.

Jana Pifkova, 23, ist Tschechin. Sie ist Informatikerin von Beruf und wohnt in Prag. Ihre Adresse: Kankovskeho 27. Geboren ist sie in Bratislava. Jana Pifkova ist nicht verheiratet und hat keine Kinder. Ihre Telefonnummer ist 44323978. Natürlich hat sie auch eine E-Mail-Adresse: Jana.Pifkova@cuni.cz.

b. Füllen Sie mit einer Partnerin/einem Partner das Formular für Jana Pifkova aus.

Name: *Pifkova* ______________
Vorname: ______________

Geschlecht: ☐ männlich ☐ weiblich

Familienstand: ☐ ledig ☐ verheiratet ☐ geschieden

Alter: ______________
Kinder: ______________

Beruf: ______________
Staatsangehörigkeit: *tschechisch* ______________
Geburtsort: ______________
Wohnort: ______________
Straße: ______________
Land: *Tschechien* ______________
Telefon: ______________
E-Mail: ______________

4 Aziza Hansen kommt aus Tunesien.

a. Lesen Sie den Text.

Sie kommt aus Tunesien. Aber sie lebt in Deutschland und ihre Staatsangehörigkeit ist deutsch. Aziza Hansen ist 1978 in Tunis geboren. Sie wohnt in Hannover und ist Sekretärin von Beruf. Ihr Ehemann ist Deutscher. Sie haben zwei Töchter, vier und zwei Jahre alt. Ihre Adresse: Daimlerstraße 17 a. Telefon: 8934567. E-Mail: azhansen@gmx.net.

b. Schreiben Sie mit einem einer Partnerin/Partner ein Formular wie in Übung 3 für Aziza Hansen. Vergleichen Sie dann die Ergebnisse im Kurs.

Name: Hansen
Vorname: Aziza
Geschlecht: ...

Land	Tschechien	Tunesien	Deutschland
Einwohner	Tscheche	Tunesier	Deutscher
Einwohnerin	Tschechin	Tunesierin	Deutsche
Staatsangehörigkeit	tschechisch	tunesisch	deutsch

5 Was machen Sie in Ihrer Freizeit?

a. Lesen Sie die Beispiele.

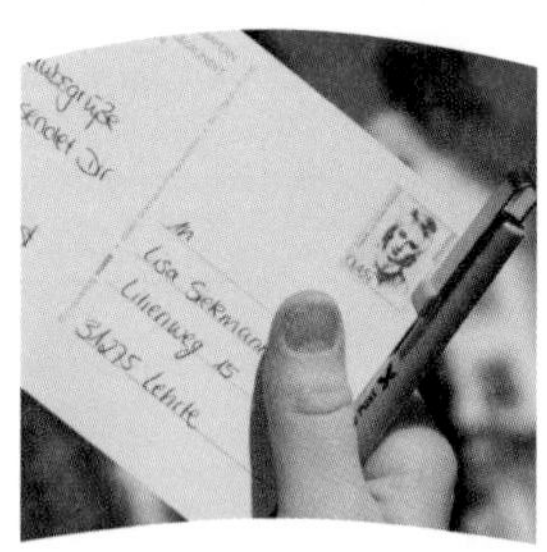

Ich surfe, koche, reite, singe, tanze, zeichne, male, schwimme, fotografiere, reise, tauche ... gern.

Ich spiele gern Klavier, Gitarre, Saxophon, Fußball, Volleyball, Tennis, Tischtennis, Karten, Monopoly, Schach, Backgammon, Dame ...

Ich höre gern Radio, Musik, Jazz, Rock, Salsa ...

Ich höre gern Musik von Beethoven, Elvis, Sting ...

Ich schreibe gern Ansichtskarten, Briefe, E-Mails, SMS ...

Ich surfe gern im Internet.

Ich mache gern Computerspiele, Camping ...

Ich lerne Chinesisch, Deutsch ...

b. **Schreiben Sie bitte fünf Sätze, aber zeigen Sie die Sätze noch nicht.**

Ich spiele gern Tischtennis.
Ich höre gern ...
Ich mache gern ...

c. **Machen Sie jetzt ein Ratespiel mit einem Partner. Jeder kann 7-mal raten. Zählen Sie die Punkte. Wer gewinnt?**

⊙ *Ich glaube, du spielst gern Schach.*
◆ *Ja, das stimmt./* (Ein Punkt für Ihren Partner.)
Nein, das stimmt nicht. (Kein Punkt für Ihren Partner.)

	Punkte
1. Ich spiele gern Backgammon.	/
2. Ich höre gern Musik von UB 40.	1
3. Ich koche sehr gern.	1
4. Ich telefoniere gern.	/
5. Ich lese gern.	1
Summe	3

d. **Zeigen Sie jetzt Ihre Sätze. Ihr Partner liest und sagt:**

Du spielst gern ...
Du hörst gern ...
Du ...

6 Club Reisen sucht Animateure.

a. Lesen Sie die Anzeige und die Bewerbung.

Bodo Schuster

Schillerstr. 228
40237 Düsseldorf
Tel.: 0211/689868

An Clubreisen GmbH
Frau Donner
Rheinstraße 127

D-50996 Köln

Düsseldorf, den 29.2.2005

Bewerbung als Animateur

Sehr geehrte Frau Donner,

mein Name ist Bodo Schuster. Ich bin 24 Jahre alt, 1,80 Meter groß und wiege 78 Kilogramm. Ich studiere Sport in Düsseldorf. Ich spiele gut Tennis und kann segeln und surfen. Mein Englisch ist gut, und ich verstehe auch Spanisch.

Mit freundlichen Grüßen

Bodo Schuster

b. Vergleichen Sie die Anzeige und die Bewerbung gemeinsam im Kurs.

Anzeige:	**Bewerbung:**
Alter: 18 – 26 Jahre.	Ich bin 24 Jahre alt.
Sprachen: ...	Mein Englisch ...
...	...

7 Schreiben Sie eine Bewerbung für Eva Fritsch.

Sie können auch Ihre persönlichen Angaben (Namen, Adresse usw.) benutzen.

Name:	Eva Fritsch
Alter:	21
Größe:	1,68
Gewicht:	52 kg
Beruf:	studiert Medizin
Sport:	Tennis, surfen, tauchen, segeln, tanzen
Sprachen:	Englisch und Französisch

329
342
349

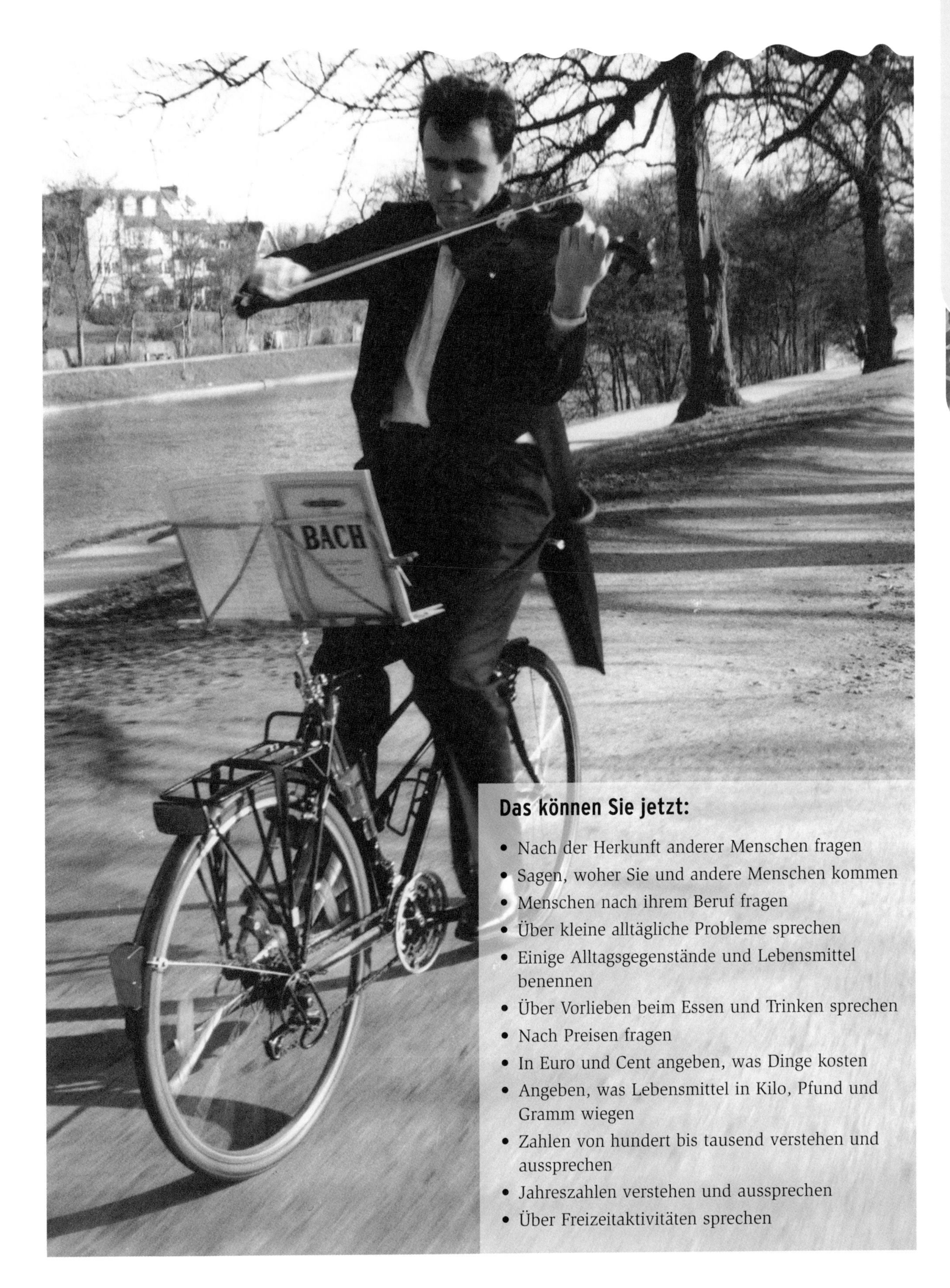

Das können Sie jetzt:

- Nach der Herkunft anderer Menschen fragen
- Sagen, woher Sie und andere Menschen kommen
- Menschen nach ihrem Beruf fragen
- Über kleine alltägliche Probleme sprechen
- Einige Alltagsgegenstände und Lebensmittel benennen
- Über Vorlieben beim Essen und Trinken sprechen
- Nach Preisen fragen
- In Euro und Cent angeben, was Dinge kosten
- Angeben, was Lebensmittel in Kilo, Pfund und Gramm wiegen
- Zahlen von hundert bis tausend verstehen und aussprechen
- Jahreszahlen verstehen und aussprechen
- Über Freizeitaktivitäten sprechen

Sekretärin gesucht

- Also, Sie möchten hier arbeiten. Was können Sie denn?
- Ich kann sehr gut schwimmen, tauchen und surfen.
- So?
- Ja, und ich spiele Klavier und singe auch sehr schön.
- Aha.
- Kochen ist auch kein Problem. Ich kann fantastisch kochen.
- Wirklich?
- Natürlich kann ich auch Tennis spielen und reiten.
- So, so. Und wie schnell können Sie Briefe schreiben?
- Briefe schreiben?
- Ja, Briefe schreiben ... Sie können doch Briefe schreiben?
- Leider nein. Und Sie?
- Ich? Natürlich kann ich Briefe schreiben.
- Prima, dann teilen wir die Arbeit: Ich schwimme, reite und spiele Tennis und Sie schreiben die Briefe.

Themenkreis
Wohnen und leben

Fokus Strukturen

1 Was passt zusammen?

Diskutieren Sie mit einer Partnerin/einem Partner und lösen Sie die Aufgabe. Vergleichen Sie dann im Kurs.

A	B	C	D	E	F	G	H	I
3								

○ *Der Hammer und der Nagel passen zusammen.*
◆ *Die Ansichtskarte und …*
□ *…*

2 Was passt noch zusammen?

Suchen Sie gemeinsam Wörter aus den Lerneinheiten 1 bis 10.
Tragen Sie Ihre Ergebnisse dann im Kurs vor.

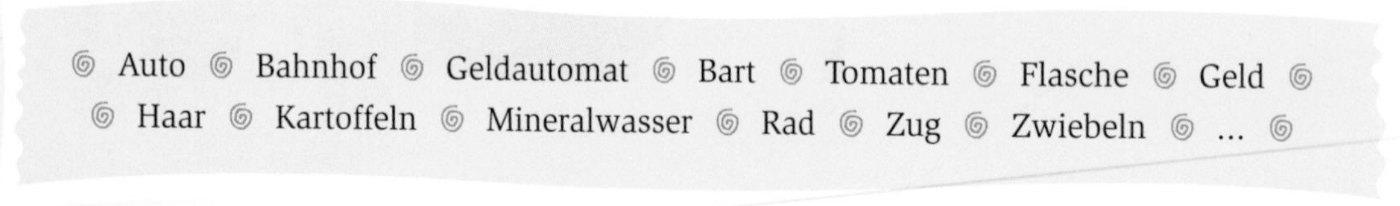

○ *Das Auto und das Rad passen zusammen.*
◆ *Der Bahnhof und …*

3 Ein Umzug

Hören Sie das Gespräch. Was ist richtig? ✗

a. Die Töpfe sind da.
b. Die Deckel sind da.
c. Die Küchenuhr ist nicht da.
d. Das Telefon ist da.
e. Die Gabeln sind da.
f. Die Messer sind nicht da.
g. Das Radio ist da.
h. Der Computer ist nicht da.

4 Was sagen die Personen?

Hören Sie das Gespräch. Welche Sätze erkennen Sie? ✗

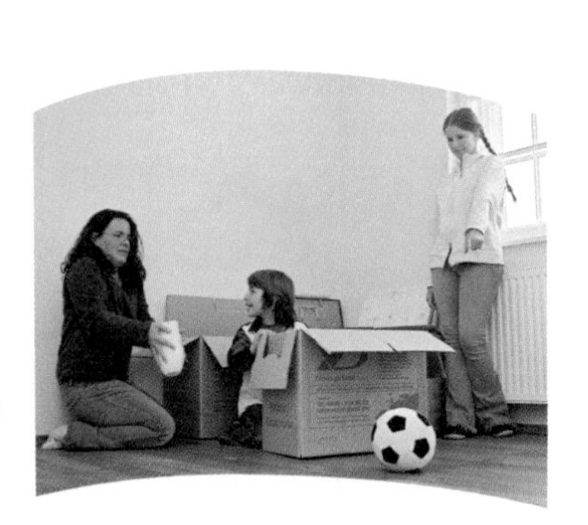

a. Ich suche den Fotoapparat.
b. Ich suche den Ball.
c. Ich suche die Küchenuhr.
d. Ich suche das Telefon.
e. Ich suche die Gabeln.
f. Ich suche den Topf.
g. Ich suche das Telefonbuch.
h. Ich suche die Schuhe.

5 Ergänzen Sie die Sätze.

a. Der Topf ist weg. — Ich suche den Topf.
b. Der Deckel ist weg. — Ich suche …
c. Die Küchenuhr ist weg. — Ich suche …
d. Das Telefon ist weg. — Ich suche …
e. Die Messer sind weg. — Ich suche …

Nominativ:	Akkusativ:
Der Hammer ist weg.	Ich suche **den** Hammer.
Die Briefmarke ist weg.	Ich suche **die** Briefmarke.
Das Feuerzeug ist weg.	Ich suche **das** Feuerzeug.
Die Strümpfe sind weg.	Ich suche **die** Strümpfe.

6 Schreiben Sie zusammen mit einer Partnerin/einem Partner kurze Gespräche.

Spielen Sie sie dann im Kurs vor.

A

B

C

D

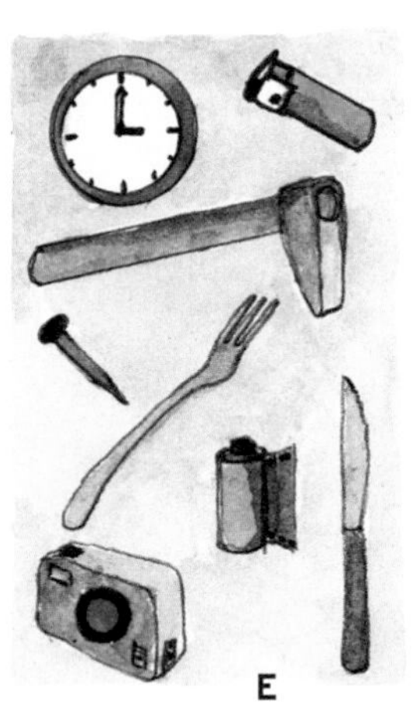
E

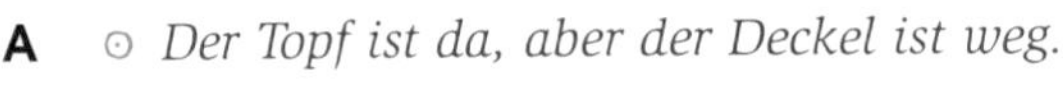

A ⊙ *Der Topf ist da, aber der Deckel ist weg.* ◆ *Moment, ich suche den Deckel.*
B ⊙ *Die Ansichtskarte ist da, aber die … ist weg.* ◆ *Moment, ich suche die …*
C ⊙ *Das Telefonbuch ist da, aber das … ist weg.* ◆ *Moment, ich suche das …*
D ⊙ *Die Schuhe sind da, aber die … sind weg.* ◆ *Moment, ich suche die …*
E ⊙ *… ist da, aber … ist weg.* ◆ *Moment, ich suche …*
…

7 „Das ist eine Sonnenbrille, das ist ..."

Lernen Sie zusammen mit einer Partnerin/einem Partner die neuen Wörter.

die Sonnenbrille
eine Sonnenbrille

der Regenschirm
ein Regenschirm

das Taschentuch
ein Taschentuch

die Gummistiefel *(Plural)*
Gummistiefel

der Mantel
ein Mantel

die Telefonkarte
eine Telefonkarte

das Pflaster
ein Pflaster

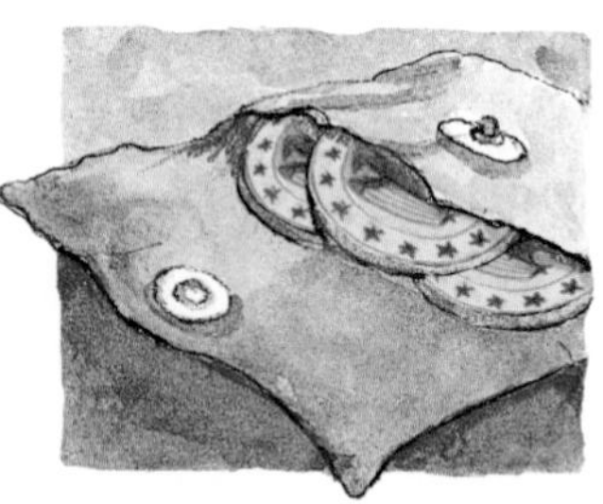

die Münzen *(Plural)*
Münzen

8 Er hat keinen Regenschirm.

Was brauchen die Personen? Ergänzen Sie die Wörter aus Übung 7.

Er hat keinen ...
Er braucht einen ...

Er hat kein ...
Er braucht ein ...

Er hat keine ...
Er braucht eine ...

Er hat keine ...
Er braucht ...

Er hat kein ...
Er braucht ein ...

Er hat keine ...
Er braucht ...

Er hat keine ...
Er braucht eine ...

Er hat keinen ...
Er braucht einen ...

9 Pantomime

a. Spielen Sie im Kurs Situationen aus Übung 8. Die anderen raten jeweils.

⊙ *Er/sie hat keine Sonnenbrille. Er/sie braucht eine Sonnenbrille.*

b. Spielen Sie weitere Situationen mit anderen Gegenständen.

Nominativ:		**Akkusativ:**	
ein Regenschirm	**kein** Regenschirm	**einen** Regenschirm	**keinen** Regenschirm
eine Telefonkarte	**keine** Telefonkarte	**eine** Telefonkarte	**keine** Telefonkarte
ein Pflaster	**kein** Pflaster	**ein** Pflaster	**kein** Pflaster
Münzen	**keine** Münzen	Münzen	**keine** Münzen

10 „Hast du ...?" „Brauchst du ...?"

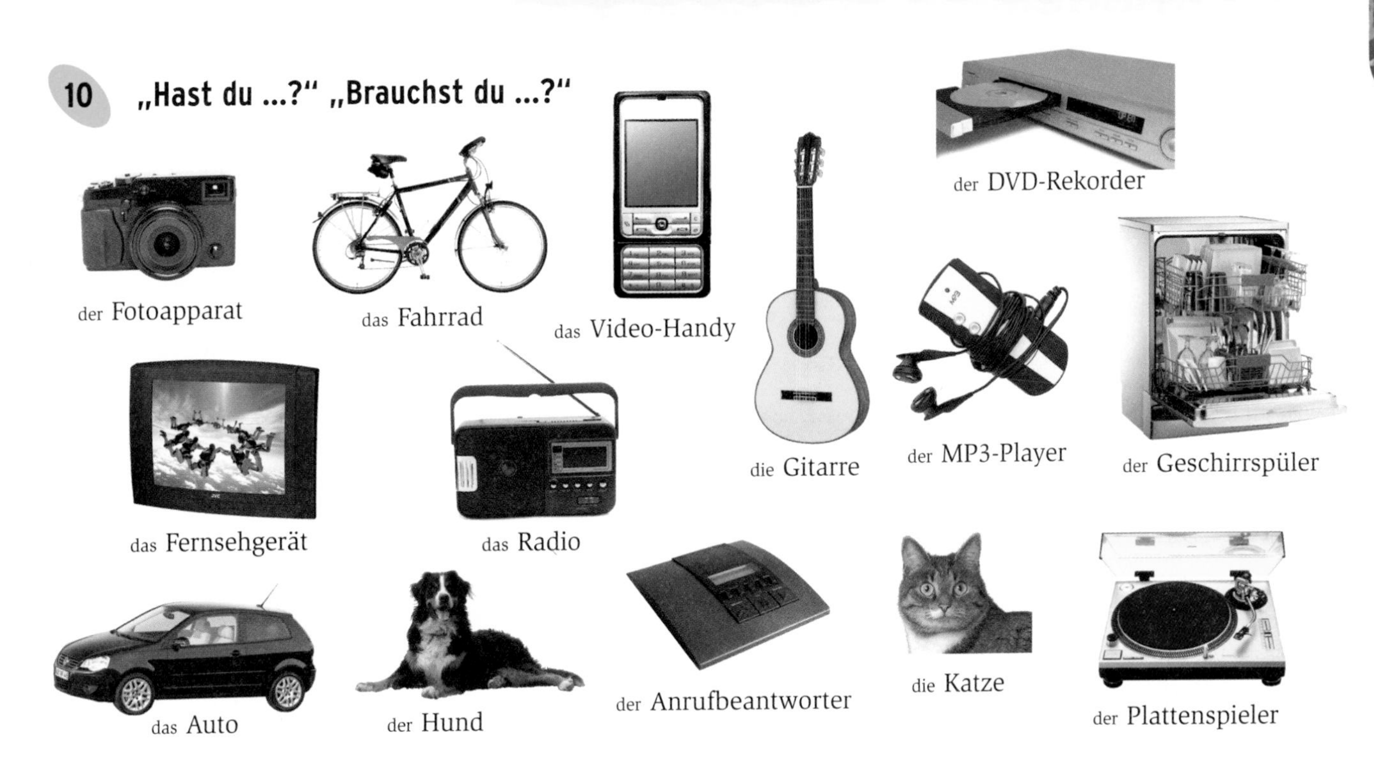

der Fotoapparat, das Fahrrad, das Video-Handy, die Gitarre, der DVD-Rekorder, der MP3-Player, der Geschirrspüler, das Fernsehgerät, das Radio, das Auto, der Hund, der Anrufbeantworter, die Katze, der Plattenspieler

a. Machen Sie ein Interview mit einer Partnerin/einem Partner.

⊙ *Hast du einen Fotoapparat?*
◆ *Ja, ich habe einen Fotoapparat.*

⊙ *Hast du einen Fotoapparat?*
◆ *Nein, ich habe keinen Fotoapparat.*
⊙ *Möchtest du denn einen Fotoapparat haben?*
◆ *Ja, ich möchte gern einen Fotoapparat haben.*
◆ *Nein, ich brauche keinen Fotoapparat.*

b. Stellen Sie die Ergebnisse im Kurs vor.

Mein Nachbar Meine Nachbarin	hat	einen eine ein keinen keine kein	...

Er Sie	braucht möchte	einen eine ein keinen keine kein	...

12 Fokus Lesen

1 „Wo kann man ein Bett kaufen?"

1

2

3

4

5

6

a. Notieren Sie die Nummern.

b. Welches Wort gibt den Hinweis?

Sie möchten ...	Geschäft Nr.	
ein Bett kaufen.	4	Möbel
eine Digitalkamera kaufen.		
eine CD kaufen.		
einen Drucker kaufen.		
einen Kühlschrank kaufen.		
eine Zeitung kaufen.		

2 Eine SMS für Jenny

a. Was ist richtig? ✗

- Michael schickt eine SMS.
- Jenny kann nicht kochen.
- Michael arbeitet heute bis 8.
- Michael kocht heute.
- Jenny und Michael können eine Pizza bestellen.

b. Welche Antwort passt? ✗

A
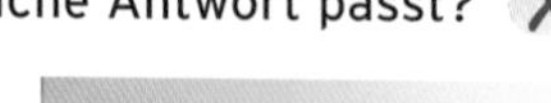

Hallo Michael,
wir haben leider
keine Pizza, aber wir
haben noch Bier, Wein
und Mineralwasser.
Gruß Jenny

B

Hallo Michael,
wir brauchen keine
Pizza. Wir haben noch
Kartoffeln, Zwiebeln
und Tomaten. Heute
koche ich! Gruß Jenny

3 Georg Walder erzählt.

Lesen Sie den Text.

„Ich habe kein Haus und keine Wohnung, aber ein Zelt habe ich. Ich brauche kein Internet und kein Handy, aber Freunde habe ich trotzdem überall. Mein Zuhause ist die Straße. Einen Wagen, ein Motorrad oder ein Fahrrad brauche ich nicht, meine Füße sind ja gesund. Eine Frau und Kinder habe ich auch nicht, aber einen Hund. Toby heißt er. Geld brauche ich nicht. Ich brauche meine Freiheit."

4 „Hat Georg Walder ein Haus?"

Kreuzen Sie an und vergleichen Sie dann im Kurs.

	... hat/braucht Georg W.	... hat/braucht er nicht.		... hat/braucht Georg W.	... hat/braucht er nicht.
Ein Haus ...	○	○	Ein Auto ...	○	○
Eine Wohnung ...	○	○	Ein Motorrad ...	○	○
Ein Zelt ...	○	○	Ein Fahrrad ...	○	○
Internet ...	○	○	Einen Hund ...	○	○
Ein Handy ...	○	○	Geld ...	○	○
Freunde ...	○	○	Freiheit ...	○	○

5 Formulieren Sie es anders.

Er hat kein Haus. — *Ein Haus hat er nicht.*
Aber er hat ein Zelt. — *Aber ein Zelt hat er.*

Er hat kein Handy. ....
Aber er hat Freunde. ....

Er hat keine Frau und keine Kinder. ....
Er hat einen Hund. ....

Er braucht kein Geld. ....
Er braucht seine Freiheit. ....

Georg W.	braucht	**seine Freiheit.**
Seine Freiheit	braucht	**Georg W.**

Er	hat		**kein Haus.**
Ein Haus	hat	**er**	**nicht.**

6 Ein Krokodil und kein Telefon

So heißt die Überschrift auf Seite 63. Was bedeutet das? Was glauben Sie? ✗

a. ☐ Ein Krokodil kommt und jemand sucht sein Telefon.
b. ☐ Jemand braucht ein Krokodil und möchte telefonieren.
c. ☐ Jemand hat ein Krokodil, aber kein Telefon.

7 Lesen Sie jetzt den kleinen Text unter der Überschrift.

Welche Aussage aus Übung 6 passt dazu? ✗ a. ☐ b. ☐ c. ☐

8 Lesen Sie auf Seite 63 nacheinander die Informationen zu jeder Person.

Was passt zu Jochen Pensler, Bernd Klose ...?
Lesen Sie die Abschnitte nacheinander und notieren Sie jeweils gleich die Lösung.

a. Jochen Pensler 2 ☐ ☐
b. Bernd Klose ☐ ☐ ☐
c. Karin Stern ☐ ☐ ☐
d. Linda Damke ☐ ☐ ☐

1. Sie ist Sozialarbeiterin von Beruf.
2. Er studiert Biologie.
3. Ihre Wohnung ist in Frankfurt.
4. Sein Bett ist eine Matratze.
5. Ihr Zuhause ist ein Segelboot.
6. Er braucht keine Unterhaltung.
7. Sie fotografiert gerne.
8. Sie ist 27 Jahre alt.
9. Sein Hobby sind Tiere.
10. Er hat eine Wohnung in Freiburg.
11. Er findet Möbel nicht wichtig.
12. Ein Haus und einen Wagen braucht sie nicht.

9 Was finden die Personen wichtig? Was finden sie nicht wichtig?

eine Wohnung ◎ ~~Tiere~~ ◎ ~~einen Geschirrspüler~~ ◎ Möbel ◎ Kameras ◎ Musik ◎ ein Segelboot ◎ einen Computer

a. Jochen Pensler findet *Tiere* wichtig, aber .... findet er nicht wichtig.
b. Bernd Klose findet .... wichtig, aber .... findet er nicht wichtig.
c. Karin Stern findet .... wichtig, aber *einen Geschirrspüler* findet sie nicht wichtig.
d. Linda Damke findet .... wichtig, aber .... findet sie nicht wichtig.

Finden Sie weitere Beispiele:

- *Karin Stern findet ... wichtig, aber ... findet sie nicht wichtig.*
- *Bernd Klose findet ...*

ein Mobiltelefon ◎ einen Wagen ◎ ein Telefon ◎ ein Haus ◎ ein Fotolabor ◎ ein Motorrad ◎ ein Radio ◎ einen Fernseher ◎ Alkohol ◎ Filme ◎ Unterhaltung ◎ Freiheit ◎ Luxus ◎ Bücher

10 Diskutieren Sie im Kurs.

Wie finden Sie die Personen? Wen finden Sie sympathisch, interessant? Was finden Sie selbst wichtig/nicht wichtig? Was ist in Ihrem Land wichtig/nicht wichtig?

Reportage

„Ein Krokodil und kein Telefon“

Telefon, Fernseher, Auto hat jeder. Stimmt nicht. Manche Menschen haben zum Beispiel ein Krokodil, aber kein Telefon. Vier Personen, vier Lebensstile.

▲ Jochen Pensler, 21, studiert in Leipzig Biologie. Sein Zimmer ist ein Zoo. Zurzeit hat er 6 Schlangen, 26 Spinnen, 14 Mäuse und 1 Krokodil. Aber er hat kein Telefon und kein Radio. Einen Fernseher hat er auch nicht. „Ich höre keine Musik und ich brauche keine Unterhaltung. Nur Bücher brauche ich unbedingt und meine Tiere. Tiere sind mein Hobby und sie kosten viel Zeit.“

Bernd Klose, 42, lebt in Freiburg. Er ist Reporter. Deshalb ist er selten zu Hause. Seine Wohnung hat nur ein Zimmer. Es gibt eine Matratze und einen Schreibtisch. Möbel findet Bernd nicht wichtig. „Ich brauche drei Dinge: den Computer, das Motorrad und das Mobiltelefon.“ ▼

▲ Karin Stern, 33, wohnt in Frankfurt. Sie ist Sozialarbeiterin und Hobby-Fotografin. „Ich brauche keinen Luxus, keinen Geschirrspüler und keinen Computer. Ich rauche nicht und ich trinke keinen Alkohol. Geld brauche ich nur für meine Kameras, mein Fotolabor und für Filme. Der Rest ist nicht so wichtig.“ Das stimmt: Ihr Bad ist eigentlich ein Fotolabor und ihr Schlafzimmer ein Fotoarchiv.

◀ Normalerweise hat jeder Mensch eine Wohnung oder ein Haus, aber Linda Damke nicht. Sie ist 27, Musikerin, und hat ein Segelboot. Das ist ihr Zuhause. „Andere Leute brauchen ein Haus oder eine Wohnung und einen Wagen, ich nicht. Mein Segelboot bedeutet Freiheit. Im Sommer bin ich in Deutschland oder in Frankreich, im Winter in Griechenland.“ Lindas Leben ist spannend, aber nicht sehr bequem. Die Kajüte hat wenig Platz. Es gibt ein Bett, einen Tisch, ein paar Kisten, einen Mini-Kühlschrank und einen Gaskocher. Mehr braucht sie nicht.

13 Fokus Hören

1 Zeitungsanzeigen

a. Lesen Sie die Anzeigen.

Hallo Student/Studentin! Wer sucht ein Zimmer? 14 m², möbliert, Miete 160,– Euro. Nähe S-Bahn. Tel. 089/261281 (nur abends) ①

Von privat. 1-Zi-Wohnung, 28 m², Küche, Bad, Balkon. Miete 290,– Euro. (keine Studenten!) Tel. 089/364397 ②

Nähe Uni. Zimmer, 20 m², 220,– Euro. Zu vermieten an Studentin (kein Haustier!). Tel. 089/442165 ③

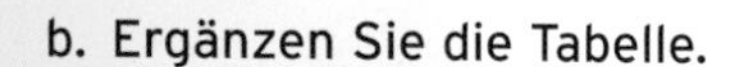

b. Ergänzen Sie die Tabelle.

	Telefonnummer	Miete	Größe/Quadratmeter
Anzeige 1			
Anzeige 2			*28 m²*
Anzeige 3			

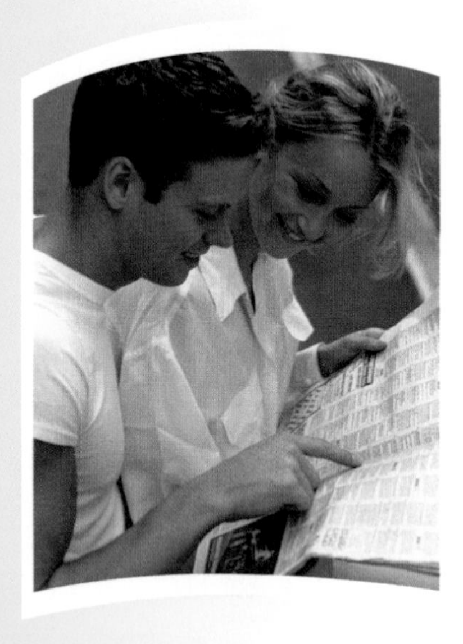

c. Welche Anzeige passt für Person A, B, C, D? Diskutieren Sie im Kurs.

A Reporterin, sucht Wohnung mit Balkon, hat Möbel.
B Studentin, braucht wenig Platz, hat kein Auto.
C Student, kann nur 170 Euro Miete bezahlen, hat keine Möbel.
D Studentin, hat eine Katze, kann 200 Euro Miete bezahlen.

⊙ *Anzeige 1 passt.* ◆ *Anzeige 2 passt nicht.* ⊙ *Das geht nicht.*
◆ *Sie hat eine Katze.* ⊙ *Das passt gut.* ◆ *Aber sie ist Studentin.*
⊙ *Er kann die Miete nicht bezahlen.* ◆ *Sie hat …*

2 Drei Personen beschreiben ihre Wohnung.

Hören Sie. Was ist richtig? ✗

Person A

Das Zimmer hat
21 ○ 27 ○ 17 ○ m².

Es kostet
310 ○ 270 ○ 190 ○ € Miete.

Person B

Die Wohnung hat
52 ○ 66 ○ 85 ○ m².

Sie kostet
560 ○ 610 ○ 630 ○ € Miete.

Person C

Das Apartment hat
36 ○ 39 ○ 44 ○ m².

Es kostet
340 ○ 490 ○ 510 ○ € Miete.

3 Peter sucht ein Zimmer.

a. Lesen Sie die Texte A, B und C.

A Peter studiert Mathematik und Biologie. Er sucht ein Zimmer. Seine Eltern sind nicht nett und er möchte mehr Freiheit. Wolfgang und Rudi haben zusammen ein Haus. Sie haben ein Zimmer frei. Es kostet 130,– Euro. Peter möchte das Zimmer nicht haben.

B Peter studiert Physik und Biologie. Er sucht ein Zimmer. Seine Eltern sind nett, aber er möchte mehr Freiheit. Wolfgang und Rudi haben zusammen ein Haus. Sie haben eine Wohnung frei. Sie kostet 330,– Euro. Peter möchte die Wohnung haben.

C Peter studiert Mathematik und Biologie. Er sucht ein Zimmer. Seine Eltern sind nett, aber er möchte mehr Freiheit. Wolfgang und Rudi haben zusammen eine Wohnung. Sie haben ein Zimmer frei. Es kostet 130,– Euro. Peter möchte das Zimmer haben.

b. Was sind die Unterschiede in den Texten? Ergänzen Sie mit einer Partnerin/einem Partner die Tabelle.

	A	B	C
Peter studiert		*Physik, Biologie*	
Seine Eltern sind			*nett*
Wolfgang und Rudi haben	*ein Haus*		
Sie möchten ... vermieten für ...	*ein Zimmer 130,– €*		
Peter möchte das Zimmer/die Wohnung haben.			*ja*

c. Hören Sie das Gespräch. 

Welcher Text passt?  A B  C 

d. Besprechen Sie die Lösung im Kurs.

⊙ *Lösung ... ist richtig. Peter sagt, er studiert ...*
◆ *Wolfgang sagt: „Wir haben ... frei."*
⊙ ...

4 Anzeige: Wohnungsaufgabe

a. Lesen Sie die Anzeige.

b. Spielen Sie dazu mit einer Partnerin/einem Partner ein Telefongespräch.
Sie möchten Möbel kaufen, Ihr Partner ist Herr Rheinländer. Überlegen Sie zuerst gemeinsam ein paar Fragen.

Wohnungsaufgabe
Verkaufe: Bett mit Matratze, Schreibtisch mit Stuhl, Kühlschrank, Geschirrspüler, Herd, Schreibmaschine, Klavier, Radio, Uhr, Besteck, Koffer, Töpfe.
Mo. ab 18.00 Tel.: 069/785713 Peter Rheinländer

Kleiderschrank

Ist ... noch da?
Haben Sie ... noch?
Was kostet ...?
Wie alt ist ...?
Ist ... neu?
Wie viel kostet ...?
Ist ... bequem?
...

5 Frau Fischer ruft an.

a. Lesen Sie zuerst die Aufgabe.
Welche Wörter können in die Lücken passen? Welche Wörter nicht?

b. Hören Sie das Gespräch und ergänzen Sie die Wörter.  2 | 6

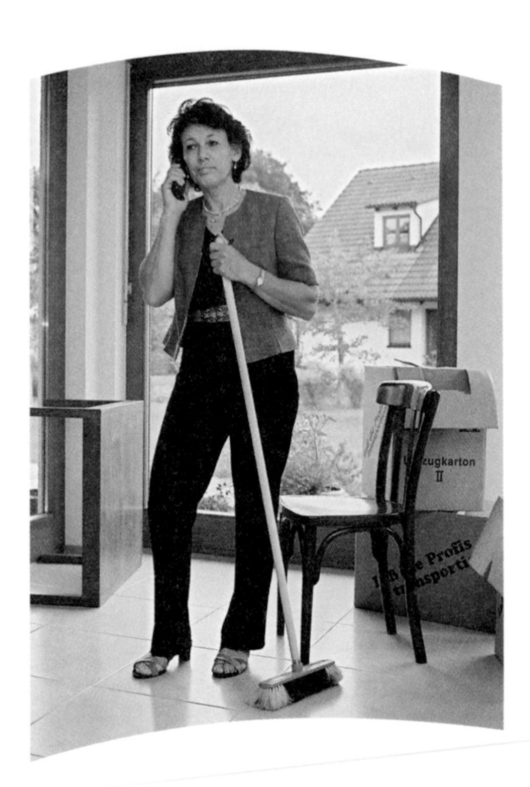

Der .... ist schon weg, aber Familie Rheinländer hat den .... noch. Frau Fischer kann ihn kaufen.

Die .... ist schon weg; Frau Fischer kann sie nicht mehr kaufen.

Aber das .... ist noch da. Frau Fischer möchte es kaufen.

Stuhl ◎ Koffer ◎ Bett ◎ Kühlschrank ◎ Uhr ◎ Schreibtisch ◎ Matratze

6 Frau Fischer ruft noch einmal an.

a. Lesen Sie zuerst die Aufgabe.

b. Hören Sie das Gespräch und lösen Sie die Aufgabe.

- alt, aber gut
- 50,– €
- fast neu
- nicht kaufen
- 150,– €
- bequem
- 80,– €
- kaufen
- nicht kaufen
- kaufen
- 20,– €
- nicht komplett

1. Das Bett ist ....
   Es kostet ....
   Frau Fischer möchte es ....

2. Die Schreibmaschine ist ....
   Sie kostet ....
   Frau Fischer möchte sie ....

3. Der Kühlschrank ist ....
   Er kostet ....
   Frau Fischer möchte ihn ....

4. Die Löffel, Messer und Gabeln sind ....
   Sie kosten ....
   Frau Fischer möchte sie ....

7 Frau Fischer ist da.

Lesen Sie die Aufgabe und hören Sie das Gespräch. Was ist richtig? 

- Die Schreibmaschine ist schön.
- Sie funktioniert gut.
- Frau Fischer kauft sie.

- Der Stuhl ist sehr alt.
- Er ist bequem.
- Frau Fischer möchte ihn nicht.

- Die Töpfe sind kaputt.
- Sie haben keine Deckel.
- Frau Fischer kauft sie.

- Das Klavier ist neu.
- Frau Fischer möchte es kaufen.
- Es ist schon verkauft.

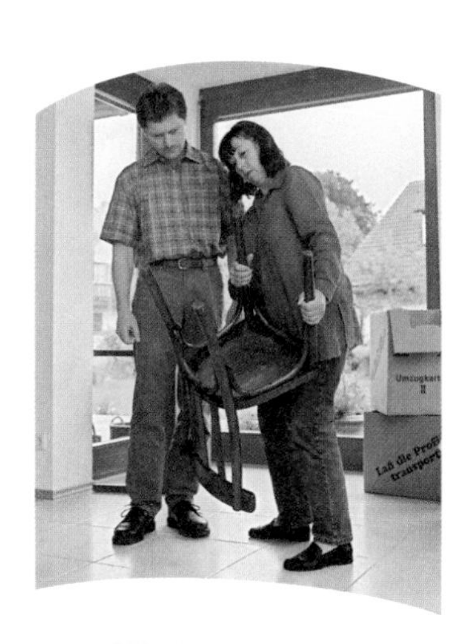

Der Stuhl ist noch da.	**Die** Uhr ist noch da.	**Das** Radio ist noch da.	**Die** Töpfe sind noch da.
Er ist alt.	**Sie** ist neu.	**Es** ist gut.	**Sie** sind kaputt.
Frau F. kauft **ihn**.	Frau F. kauft **sie**.	Frau F. kauft **es**.	Frau F. kauft **sie**.

8 Ergänzen Sie die Pronomen.

Der Stuhl ist schön. Ich kaufe ....

Die Lampe ist kaputt. Ich kaufe .... nicht.

Das Bett ist alt, aber gut. Ich möchte .... kaufen.

Die Töpfe sind nicht mehr gut. Ich kaufe .... nicht.

Fokus Sprechen

Kurze Vokale – lange Vokale

Hören Sie die Wörter und sprechen Sie nach. 

Kuss – Küsse	Gruß – Grüße	Buch – Bücher	Stuhl – Stühle	Strumpf – Strümpfe
Uhr – Uhren	Blume – Blumen	Junge – Jungen	Beruf – Berufe	Schuh – Schuhe

Wörter mit „st"

a. Hören Sie und sprechen Sie nach. Ordnen Sie dann die Wörter. 

Stuhl · Pflaster · brauchst · Strumpf · studieren · findest · Stadt · Kiste · Straße · möchtest · Post · Rest · kosten · bist

Stuhl	*Pflaster*	*brauchst*
....	....	....
....	....	....
....	....	....
....		....

**b. Erfinden Sie Sätze und Fragen mit „st"-Wörtern.
Lesen Sie sie dann im Kurs vor.**

- *Brauchst du ein Pflaster?*
- *Findest du die Straße?*
- *Was kosten die Strümpfe?*
- *Bist du Kunststudent?*
- *Hast du ...?*
- *Möchtest du ...?*
- *Kannst du ...?*
- *Suchst du ...?*
- *...*

Wörter mit „sp" und „st"

a. Hören Sie die Sätze und sprechen Sie nach. 

◆ Die Spinne kaufe ich.
⊙ Spinnst du?

◆ Studierst du Sprachen?
⊙ Ja. Ich studiere Spanisch.

◆ Suchst du die Stiefel?
⊙ Nein, ich suche die Strümpfe.

◆ Spielt sie Tennis?
⊙ Ja, das stimmt.

b. Sprechen Sie die Sätze mit einem Partner.

Wörter mit „ü" und „y"

Hören Sie die Sätze und sprechen Sie nach. 

Sie übt Physik.
Er übt für Olympia.
Die Physikbücher sind teuer.

Frau Fischer schreibt ein X und ein Y.
Die Leute hier sind sympathisch.
Viele Grüße und Küsse schickt Lydia.

5 Sprechen Sie nach und markieren Sie die Betonung.

2 | 13   28

Er hat ein Radio.
Einen Fernseher hat er nicht.

Er braucht ein Motorrad.
Möbel braucht er nicht.

Sie hat ein Segelboot.
Eine Wohnung hat sie nicht.

Sie sucht einen Schreibtisch.
Einen Stuhl sucht sie nicht.

Üben Sie selbst weiter:
Motorrad – Wagen
Computer – Schreibmaschine
Matratze – Bett

6 Welche Wörter sind betont?

a. Sprechen Sie nach und markieren Sie.

Sie braucht keinen Computer. Aber einen Fotoapparat braucht sie.
Er braucht keinen Fernseher. Aber ein Radio braucht er.
Sie braucht keinen Geschirrspüler. Aber einen Kühlschrank braucht sie.

b. Üben Sie mit einem Partner weiter und achten Sie dabei auf die Betonung.

Fernseher – Bücher / Bücher – Fernseher · Fernseher – Computer / Computer – Fernseher · Briefmarken – Briefe · Digitalkamera – Filme · Schlafsack – Matratze · Küsse – Blumen · …

○ *Ich brauche einen* Fernseher. Bücher *brauche ich nicht.*
◆ *Ich brauche* Bücher. *Einen* Fernseher *brauche ich nicht.*

7 Kann ich mal ...?

a. Lesen und spielen Sie die Gespräche.

○ Kann ich mal den Kugelschreiber haben?
◆ Tut mir leid, der ist kaputt.
Aber hier ist ein Bleistift. Den kannst du haben.

○ Kann ich mal die Zeitung haben?
◆ Ja gern, die kannst du haben.

○ Kann ich mal das Wörterbuch haben?
◆ Moment, das brauche ich gerade.

○ Kann ich mal die Fotos haben?
◆ Ja gern, die kannst du haben.

Nominativ:		Akkusativ:	
Der Bleistift **Der**	ist kaputt.	**Den** Bleistift **Den**	brauche ich.
Die Zeitung **Die**	ist von heute.	**Die** Zeitung **Die**	
Das Buch **Das**	ist interessant.	**Das** Buch **Das**	
Die Fotos **Die**	sind schön.	**Die** Fotos **Die**	

b. Spielen Sie weitere Gespräche mit einem Partner.

○ *Kann ich mal …*
◆ *Ja gern, …*   ◆ *Tut mir leid, …*

Bleistift · Kugelschreiber · Zeitung · Hammer · Wörterbuch · Fotos · Auto · Fahrrad · Uhr · Messer · Handy · Telefonbuch · Regenschirm · …

8 Finden Sie die Gegenstände auf der Zeichnung?

7	der Stuhl		die Sonnenbrille		der Spiegel		die Töpfe
	die Uhr		der Teppich		der Regenschirm		die Gummistiefel
	der Koffer		das Bild		die Lampe		das Radio
	das Feuerzeug		die Vase		das Regal		der Tisch

9 „Wie findest du ...?"

a. Hören Sie das Gespräch. 2 | 15 30

b. Spielen Sie das Gespräch mit einer Partnerin/einem Partner.

- ⊙ Wie findest du den Stuhl?
- ◆ Meinst du den da?
- ⊙ Ja.
- ◆ Der ist schön.
- ⊙ Kaufen wir den Stuhl?
- ◆ Ja, den kaufen wir.

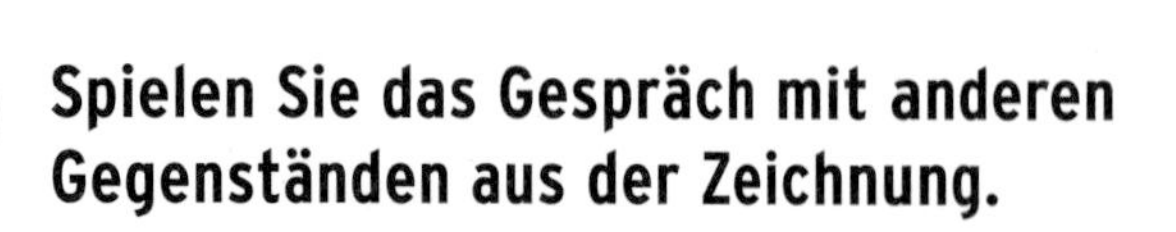

10 Spielen Sie das Gespräch mit anderen Gegenständen aus der Zeichnung.

- ⊙ *Wie findest du ...?*
- ◆ *Meinst du ... da?*
- ⊙ ...

11 „Schau mal, da ist ...“

2 | 16

31

a. Hören Sie das Gespräch und spielen Sie es mit einem Partner.

- ⊙ Schau mal, da ist ein Regenschirm. Ich brauche einen.
- ◆ Hast du keinen Regenschirm?
- ⊙ Nein, ich habe keinen.
- ◆ Aber den finde ich nicht schön.
- ⊙ Hier ist noch einer.

b. Spielen Sie das Gespräch jetzt mit anderen Gegenständen.

	Nominativ:		Akkusativ:
Da ist	**ein** Regenschirm. **einer**. **keiner**.	Ich brauche	**einen** Regenschirm. **einen**. **keinen**.
	eine Lampe. **eine**. **keine**.		**eine** Lampe. **eine**. **keine**.
	ein Regal. **eins**. **keins**.		**ein** Regal. **eins**. **keins**.
Da sind	Töpfe. **welche**. **keine**.		Töpfe. **welche**. **keine**.

12 Setzen Sie die Artikel und Pronomen ein.

Arbeiten Sie mit einer Partnerin/einem Partner und vergleichen Sie dann im Kurs.

a.

- ⊙ Schau mal, da ist .... Regal. Ich suche *eins*.
- ◆ Hast du *keins*?
- ⊙ Nein, ich habe ....
- ◆ Aber *das* finde ich nicht schön.
- ⊙ Hier ist noch ....

b.

- ⊙ Schau mal, da sind Gummistiefel. Ich suche *welche*.
- ◆ Hast du ....?
- ⊙ Nein, ich habe *keine*.
- ◆ Aber .... finde ich nicht schön.
- ⊙ Hier sind noch ....

13 Variieren Sie die Gegenstände und spielen Sie das Gespräch im Kurs vor.

- ⊙ *Schau mal, da ist/sind ... Ich suche ...*
- ◆ *Hast du ...?*
- ⊙ *Nein, ich habe ...*
- ◆ *Aber ... finde ich nicht schön.*
- ⊙ *Hier ist/sind noch ...*

14 „Kaufen wir das?“

Schreiben Sie mit einer Partnerin/einem Partner ein Gespräch und spielen Sie es im Kurs vor.
Sie können folgende Ausdrücke benutzen:

... finde ich ... ist	gut bequem scheußlich hässlich zu alt zu teuer zu groß	... brauche ich ... möchte ich	unbedingt nicht	... kann ich nicht bezahlen ... möchte ich nicht zu Hause haben
		... habe ich	nicht noch nicht nicht mehr schon	

15 Fokus Schreiben

1 Hören Sie zu und schreiben Sie. 2 | 17

Monika .... und .... ein .... Sie .... auch ....

Einen .... und .... hat sie ...., aber .... hat ....

Teppich. Ihr .... ist .... und nicht .... Deshalb .... sie ....

.... es gibt ....: Sie .... nur 100 Euro ....

2 Meine Wohnung

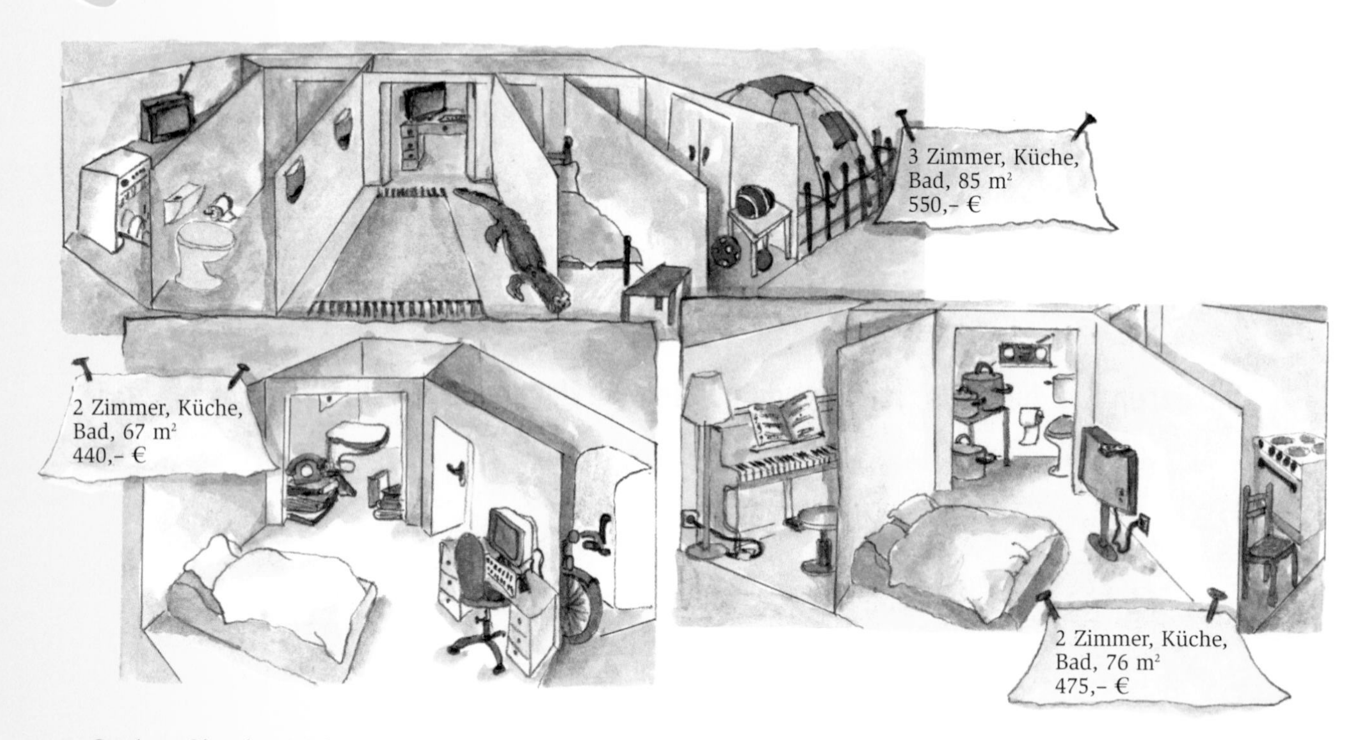

a. Suchen Sie eine Wohnung aus und schreiben Sie gemeinsam mit einer Partnerin/einem Partner einen kurzen Text dazu.

Meine Wohnung ist groß/klein. Sie hat ... Die Küche/das Wohnzimmer ... Ich habe ein Bett und einen ... Aber es gibt kein/keine/keinen ... Die Miete ist hoch/nicht hoch. Die Wohnung kostet ... Das Wohnzimmer/das Bad/die Küche hat ... m².

b. Lesen Sie Ihren Text im Kurs vor.

3 Ergänzen Sie die Ländernamen und Hauptstädte auf der Europakarte.

Arbeiten Sie in einer kleinen Gruppe.

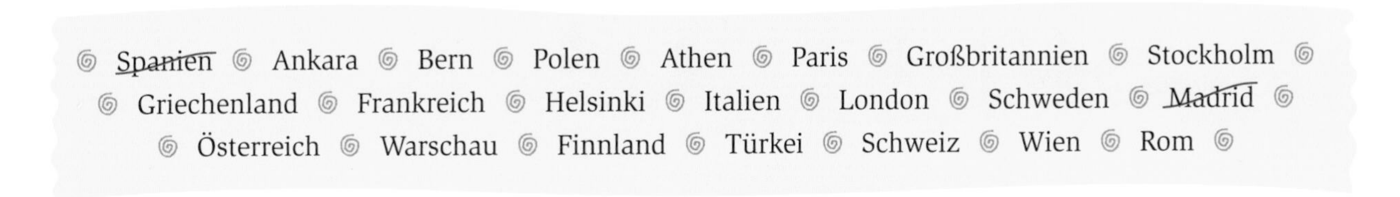

4 Hören Sie drei Telefongespräche.

Wo sind die Leute? Was sagen sie? Welches Problem haben sie?
Schreiben Sie jeweils drei Sätze.

a.

b.

c.

Jens ist in Rom. Das Wetter ...

Jens | ist weg. | Der Campingplatz | ist prima. | Aber sein Auto | ist nass. | Klaus | ist in Oslo. | Das Wetter | ist sehr modern. | Aber ihr Schlafsack | ist kaputt. | Inge | ist toll. | Die Jugendherberge | ist in London. | Aber sein Koffer | ist in Rom.

5 An der Rezeption

Diskutieren Sie im Kurs: Was möchte der Mann? Was braucht er vielleicht?

- *Ich glaube,*
  ... er möchte telefonieren.
  ... er braucht ein Taxi.
  ... er möchte seinen Zimmerschlüssel.
  ... er möchte ein Fax schicken.
  ... er sucht seinen Koffer.
  ... er ist verliebt.
  ... er braucht ein Zimmer.
  ... er braucht ...

6 Lesen Sie das Fax. Schreiben Sie dann ähnliche Texte. Verwenden Sie dazu die Wörter unten auf der Seite.

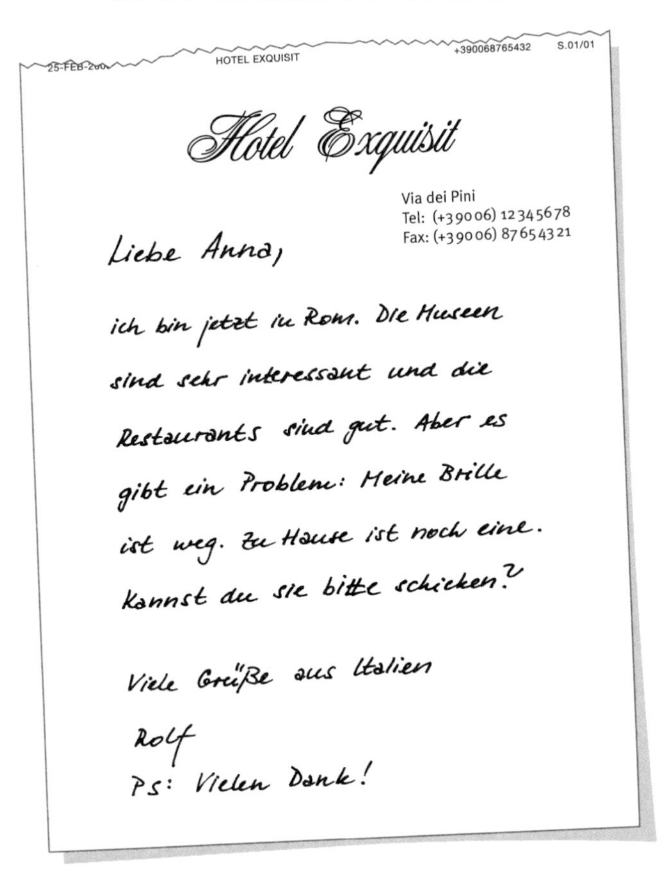
25-FEB-200 HOTEL EXQUISIT +390068765432 S.01/01

Hotel Exquisit

Via dei Pini
Tel: (+39006) 12345678
Fax: (+39006) 87654321

Liebe Anna,

ich bin jetzt in Rom. Die Museen sind sehr interessant und die Restaurants sind gut. Aber es gibt ein Problem: Meine Brille ist weg. Zu Hause ist noch eine. Kannst du sie bitte schicken?

Viele Grüße aus Italien

Rolf

PS: Vielen Dank!

Lieber Liebe	…,		
ich bin jetzt jetzt bin ich	in …		
Die	Museen Restaurants Geschäfte …	sind	toll. wunderbar. interessant. …
Aber	es gibt ein Problem: ich habe ein Problem: ein Problem habe ich:		
Mein Meine	…	ist sind	weg. kaputt.
Zu Hause	ist sind	noch	einer. eine. eins. welche.
Schickst du … bitte? Kannst du … bitte schicken?			
Viele Herzliche	Grüße aus …		

der Autoschlüssel

die Kreditkarte

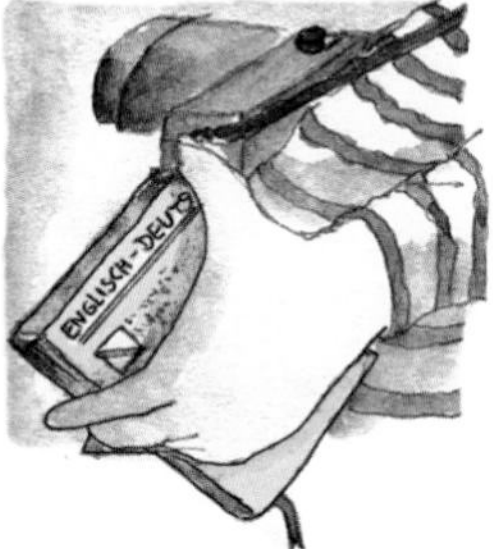

das Wörterbuch

die Schecks

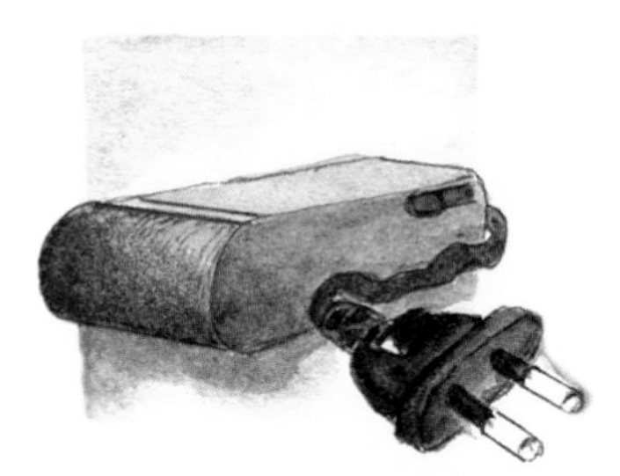
der Rasierapparat

die Brille

das Abendkleid

die Kontaktlinsen

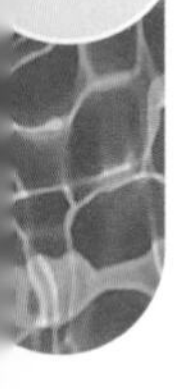

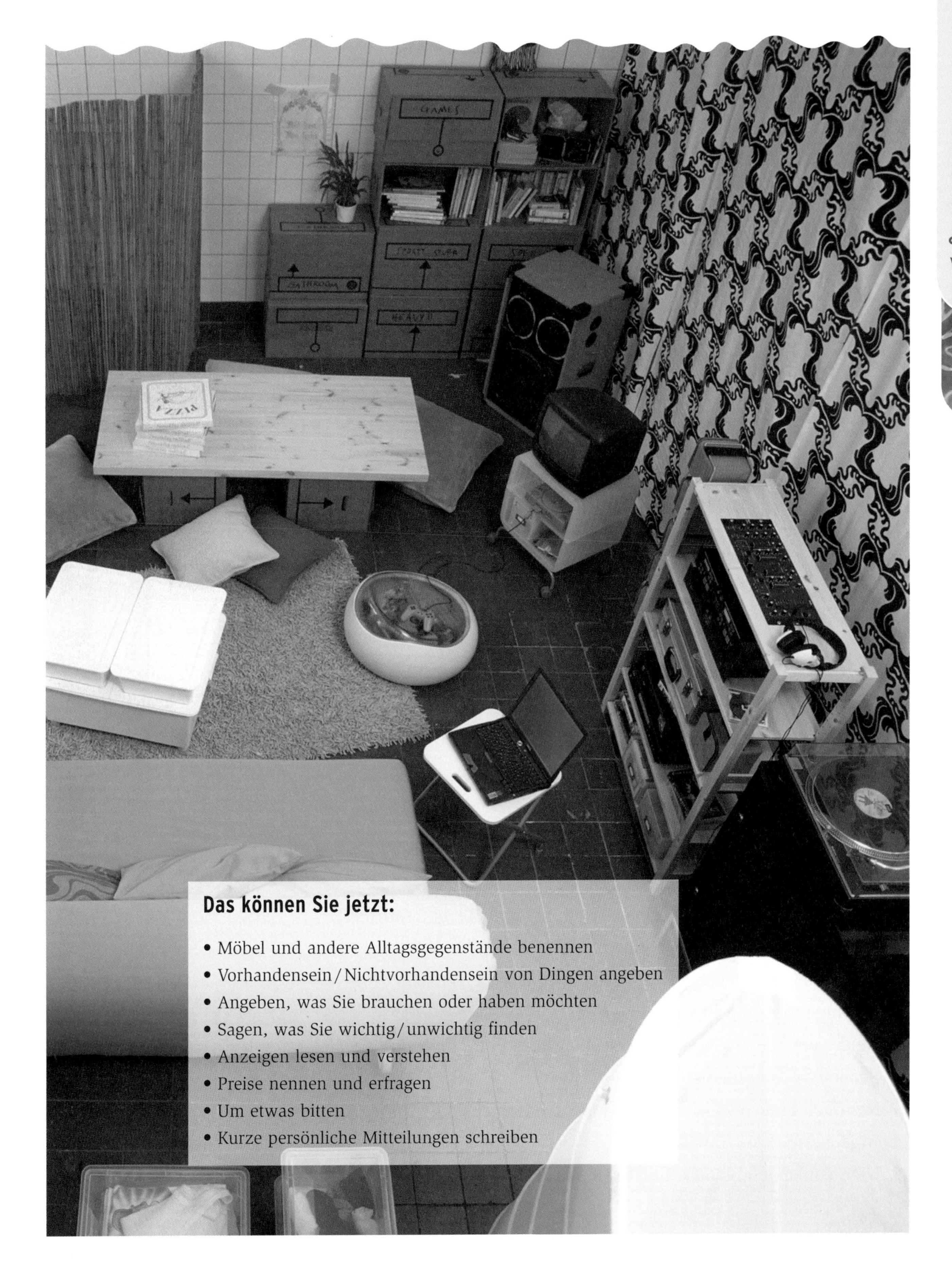

Das können Sie jetzt:

- Möbel und andere Alltagsgegenstände benennen
- Vorhandensein / Nichtvorhandensein von Dingen angeben
- Angeben, was Sie brauchen oder haben möchten
- Sagen, was Sie wichtig / unwichtig finden
- Anzeigen lesen und verstehen
- Preise nennen und erfragen
- Um etwas bitten
- Kurze persönliche Mitteilungen schreiben

Möbel-Trödel

2 | 19

- Guten Tag. Ich brauche ei... *(hatschi)*
- Verzeihung, was brauchen Sie?
- Ich brauche ein... *(hatschi)*
- Brauchen Sie vielleicht einen Tisch?
- Nein danke, ich brauche keinen Tisch. Ich brauche ei... *(hatschi)*
- Einen Stuhl? Brauchen Sie einen Stuhl?
- Nein, ich brauche keinen Stuhl. Ich möchte ein... *(hatschi)*
- Möchten Sie ein Bett kaufen?
- Nein, nein, ich brauche kein Bett. Ich suche ein... *(hatschi)*
- Suchen Sie eine Lampe?
- Nein, ich brauche auch keine Lampe. Ich brauche ein... *(hatschi)*
- Brauchen Sie ein Taschentuch?
- Nein danke, ich brauche Luft! Auf Wieder... *(hatschi)*

Themenkreis
Wollen und sollen
STOP
P

Fokus Strukturen

1 Wer muss warten? Wer darf fahren?

a. Betrachten Sie die Zeichnung und lesen Sie die Sätze 1, 2 und 3. Besprechen Sie dann mit einem Partner Nr. 4 bis 9. ✗

1 **Der Fußgänger** muss warten.
2 **Das Auto** darf nicht fahren.
3 **Die Fußgängerin** darf gehen.

4 **Das Auto**
- darf nicht fahren.
- muss fahren.
- muss warten.

5 **Die Radfahrerin**
- muss warten.
- darf fahren.
- darf nicht warten.

6 **Die Feuerwehr**
- muss warten.
- darf nicht fahren.
- darf fahren.

7 **Der Fußgänger**
- muss warten.
- darf nicht gehen.
- muss gehen.

8 **Der Motorradfahrer**
- darf fahren.
- muss warten.
- darf nicht fahren.

9 **Das Auto**
- darf nicht warten.
- muss warten.
- muss fahren.

b. Wer muss warten? Diskutieren Sie im Kurs.

⊙ *Nummer … muss warten. Die Ampel ist rot.*
◆ *Nummer … muss auch warten. Rechts kommt ein …*
□ *Und Nummer … muss warten. Da ist ein Stoppschild.*
◆ *Ja das stimmt./Nein, das stimmt nicht./Ich glaube …*
…

c. Wer darf gehen? Wer darf fahren? Diskutieren Sie im Kurs.

⊙ *Nummer … darf gehen. Die Ampel ist grün.*
◆ *Nummer … darf fahren. Da ist kein Schild und keine Ampel.*
□ *Ich glaube, Nummer … darf nicht fahren/gehen. Da …*

d. Schreiben Sie zusammen mit einer Partnerin/einem Partner Sätze zu jeder Nummer. Lesen Sie das Ergebnis dann im Kurs vor.

Nr. 1: Der Fußgänger darf nicht gehen. Er muss warten.
Nr. 2: Das Auto darf nicht fahren. Es muss warten.
Nr. 3: …

	müssen	dürfen
ich	**muss**	**darf**
du	**musst**	**darfst**
er/sie/es/man	**muss**	**darf**
wir	müssen	dürfen
ihr	müsst	dürft
sie	müssen	dürfen

2 Wollen und sollen

Hören Sie zu und ergänzen Sie dann. 

Der Sohn soll seine *Zähne* putzen. Das möchte *die Mutter*.

Der Sohn soll seine .... putzen. Das möchte ....

Der Sohn soll seine .... putzen. Das möchte ....

Die Tochter will *telefonieren*, aber sie soll erst *Klavier üben*.

Die Tochter will ...., aber sie soll erst ....

Die Tochter will ...., aber sie soll erst ....

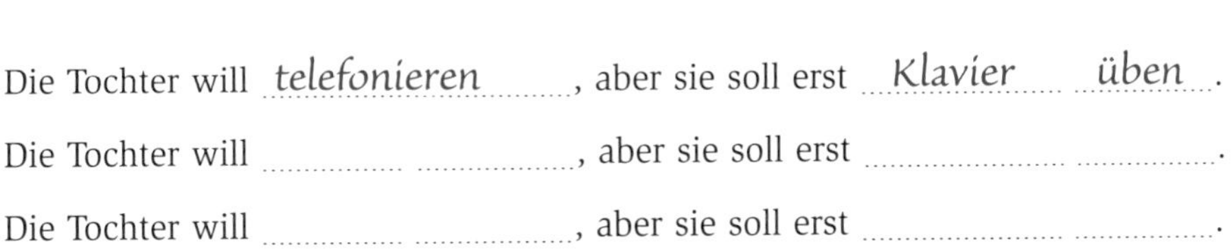

- Schuhe
- ~~Zähne~~
- Brille

- Vater
- Großmutter
- ~~Mutter~~

- im Internet surfen
- ~~telefonieren~~
- Tennis spielen

- die Hausaufgaben machen
- ~~Klavier üben~~
- Englisch lernen

	wollen	sollen
ich	**will**	**soll**
du	**willst**	**sollst**
er/sie/es/man	**will**	**soll**
wir	wollen	sollen
ihr	wollt	sollt
sie	wollen	sollen

3 Sie können, müssen, dürfen, wollen, sollen ...

Betrachten Sie die Zeichnungen. Welcher Satz passt?

a. Sie wollen nicht tanzen. Sie möchten Tee trinken.
b. Sie dürfen hier nicht tanzen. Sie müssen draußen bleiben.
c. Sie können Pause machen. Sie müssen jetzt nicht tanzen.
d. Sie sollen nicht mehr tanzen. Der Mann will seine Ruhe haben.

3

1

2

4

4 Springen oder nicht springen?

a. Betrachten Sie die Zeichnungen. Diskutieren Sie dann im Kurs.

Wer soll / will / darf / muss springen?
Wer möchte / darf nicht springen?
Wer hat Angst / ist traurig / hat ein Problem?

○ *Ich glaube, Person A möchte nicht springen. Sie hat Angst, aber sie muss springen.*
◆ *Ich glaube, sie will springen, aber …*

b. Welcher Satz passt? Arbeiten Sie mit einer Partnerin / einem Partner.

1. ◯ Er soll springen, aber er hat Angst.
2. ◯ Sie möchte springen, aber es geht nicht.
3. ◯ Er kann gut springen.
4. ◯ Er will jetzt springen.
5. ◯ Man darf hier nicht springen.
6. ◯ Sie muss springen.

5 Was ist richtig? ✗

- ◯ Sie soll weinen.
- ◯ Sie muss weinen.
- ◯ Sie will weinen.
- ◯ Sie darf weinen.

- ◯ Er soll nicht schießen.
- ◯ Er kann nicht schießen.
- ◯ Er möchte nicht schießen.
- ◯ Er will nicht schießen.

6 Hier soll man ...

Betrachten Sie die drei Zeichnungen. Wo passen die Sätze?

1	2	3	
		✗	Man kann hier schwimmen und tauchen.
			Hier darf man kein Mobiltelefon benutzen.
			Man kann hier mit Kreditkarte bezahlen.
			Hier darf man nicht fotografieren.
			Man muss hier eine Krawatte tragen.
			Hier darf man nicht rauchen.
			Man soll hier nicht laut sein.
			Hier muss man eine Bademütze tragen.
			Man darf hier Wasserball spielen.

Man **darf**					**spielen**.
Man **darf**				Wasserball	**spielen**.
Man **darf**			nicht	Wasserball	**spielen**.
Man **darf**	hier		nicht	Wasserball	**spielen**.
Hier **darf**		man	nicht	Wasserball	**spielen**.

7 Spiel: Verrückte Schilder

Erfinden und zeichnen Sie Schilder zusammen mit einem Partner. Die anderen Teilnehmer raten.

Hier darf man keine Bananen essen.

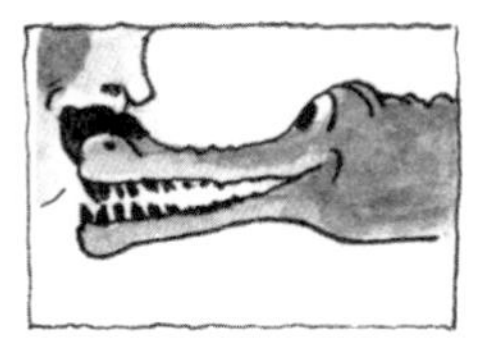

Hier kann man ...

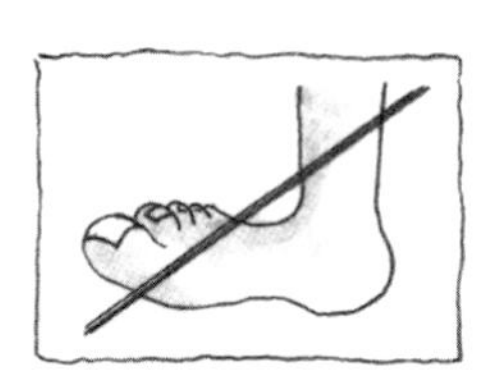

Hier muss man ...

essen ◎ trinken ◎ arbeiten ◎ denken ◎ küssen ◎ singen ◎ schwimmen ◎ telefonieren ◎ springen ◎ kaufen ◎ hören ◎ fotografieren ◎ tragen ◎ ...

Negation:
Hier darf man **nicht** essen.
Hier darf man **keine** Bananen essen.
Hier darf man **nicht** trinken.
Hier darf man **kein Wasser** trinken.

8 Üben Sie die Konjugation im Kurs.

⊙ *Ich muss arbeiten.*
◆ *Du musst schwimmen.*
□ *Er muss ...*
...

⊙ *Ich soll springen.*
◆ *Du sollst ...*
...

⊙ *Ich will singen.*
◆ *Du willst ...*
...

⊙ *Ich darf nicht telefonieren.*
◆ *Du darfst nicht ...*
...

Fokus Lesen

1 Was tun die Leute?

a. Betrachten Sie die Zeichnungen.

b. Was passt?

1. D Sie sprechen zu laut.
2. Sie sehen einen Horrorfilm.
3. Sie tragen keine Schuhe.
4. Sie waschen die Katze.
5. Sie essen Eis mit Salz.
6. Sie bemalen einen Zug.
7. Sie zerbrechen das Geschirr.
8. Sie betreten die Brücke.

c. Wie finden Sie das? Diskutieren Sie im Kurs.

⊙ *Sie tragen keine Schuhe. Das finde ich nicht normal.*
◆ *Sie bemalen … Das ist doch verboten!*

traurig · herrlich · falsch · interessant · nicht gut · schön · scheußlich · spannend · schlimm · nicht schlimm · nicht nett · dumm · gefährlich · …

- Das ist doch verboten/nicht erlaubt!
- Das dürfen sie nicht!
- Das macht man nicht!
- Das kann man doch nicht machen!
- Das geht doch nicht!
- Das schmeckt doch nicht.
- Das ist kein Problem.

2 Filmszenen

a. Hören Sie das Gespräch.

b. Was sagt der Regisseur? Wie ist die Reihenfolge?

A ◯ „Vera betritt ein Hotelzimmer."
B ◯ „Dann findet Curt einen Brief."
C ◯ „Der Spiegel zerbricht."
D 1 „Vera wäscht ihre Hände."
E ◯ „Curt isst einen Apfel."
F ◯ „Vera spricht sehr leise."
G ◯ „Vera sieht Curt nicht."
H ◯ „Curt sucht etwas."
I ◯ „Vera bemalt einen Spiegel."
J ◯ „Vera trägt einen Koffer."
K ◯ „Curt schießt."
L ◯ „Vera sagt: ‚Zum Flughafen, bitte.'"

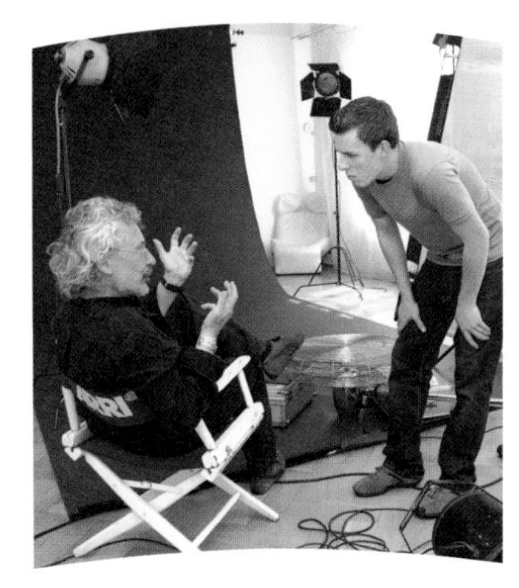

c. Notieren Sie die Infinitive.

betritt: *betreten*
spricht: ....
zerbricht: ....
sieht: ....
isst: ....
wäscht: ....
trägt: ....
sagt: ....
bemalt: ....
sucht: ....
findet: ....

d. Was soll im Film passieren? Schreiben Sie Sätze zusammen mit einer Partnerin/einem Partner.

1. Vera soll ihre Hände waschen.
2. Curt soll ...

3 Eine Kontaktanzeige

a. Lesen Sie die Anzeige.

b. Was macht er immer/dauernd/nie ...?

Er putzt nie seine Schuhe und wäscht nie sein Auto. Er isst ...

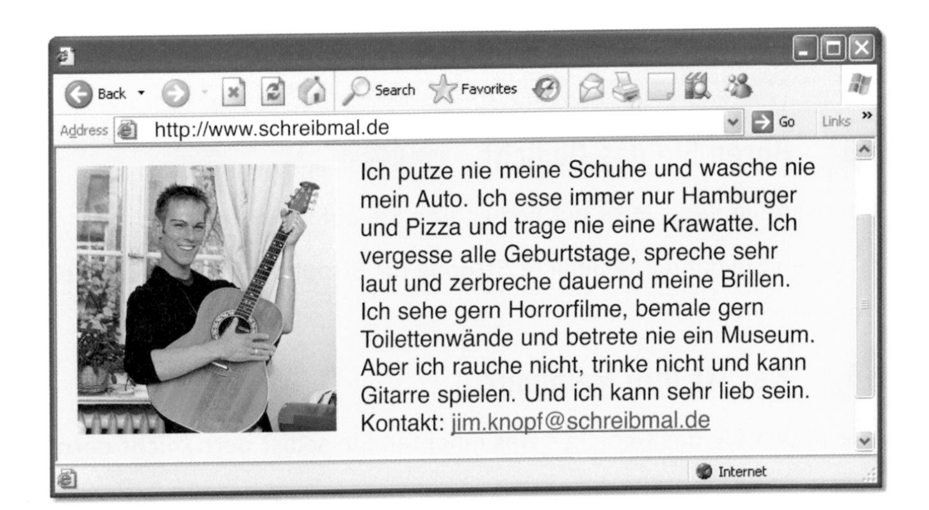

Ich putze nie meine Schuhe und wasche nie mein Auto. Ich esse immer nur Hamburger und Pizza und trage nie eine Krawatte. Ich vergesse alle Geburtstage, spreche sehr laut und zerbreche dauernd meine Brillen. Ich sehe gern Horrorfilme, bemale gern Toilettenwände und betrete nie ein Museum. Aber ich rauche nicht, trinke nicht und kann Gitarre spielen. Und ich kann sehr lieb sein.
Kontakt: jim.knopf@schreibmal.de

	essen	vergessen	betreten	sprechen	zerbrechen	sehen	tragen	waschen
ich	esse	vergesse	betrete	spreche	zerbreche	sehe	trage	wasche
du	**isst**	**vergisst**	**betrittst**	**sprichst**	**zerbrichst**	**siehst**	**trägst**	**wäschst**
er/sie/es/man	**isst**	**vergisst**	**betritt**	**spricht**	**zerbricht**	**sieht**	**trägt**	**wäscht**
wir	essen	vergessen	betreten	sprechen	zerbrechen	sehen	tragen	waschen
ihr	esst	vergesst	betretet	sprecht	zerbrecht	seht	tragt	wascht
sie/Sie	essen	vergessen	betreten	sprechen	zerbrechen	sehen	tragen	waschen

4 Beschreiben Sie die Zeichnungen auf der Seite rechts.

Was machen die Personen?

Welche Wörter kennen Sie noch nicht?
Fragen Sie Ihre Kursleiterin / Ihren Kursleiter oder benutzen Sie ein Wörterbuch.

5 Ein Gedicht: „Ich möchte nichts mehr sollen müssen"

a. Lesen Sie Strophe 1 bis 3 still. Fragen Sie noch nicht nach unbekannten Wörtern.

b. Was sagt der Text? Was ist gut (+) / nicht gut (-)? Arbeiten Sie mit einer Partnerin / einem Partner.

– den Rasen betreten	Zähne putzen	Zigaretten rauchen
Vitamine essen	Spiegel zerbrechen	leise sprechen

c. Lesen Sie die Strophen 1 bis 3 noch einmal.
Fragen Sie jetzt nach unbekannten Wörtern und notieren Sie weiter: Was ist gut (+) / nicht gut (-)?

+ beten	beim Spiel betrügen	die Kleidung beschmutzen
Termine vergessen	lügen	sonntags einen Hut tragen

d. Lesen Sie Strophe 4 bis 6 und klären Sie unbekannte Wörter im Kurs.

e. Was möchte die Autorin, was möchte sie nicht?

- *Sie möchte alle Sterne kennen. Sie möchte ihren Hund ...*
- *Sie möchte keine Strümpfe waschen. Sie möchte keine ...*

6 Hören Sie das Gedicht. 2 | 22

a. Lesen Sie dabei leise mit und achten Sie auf die Intonation.

b. Lesen Sie dann das Gedicht Strophe für Strophe im Wechsel mit einer Partnerin / einem Partner vor.

7 Was ist Ihre Meinung?

Wie finden Sie das Gedicht? Was möchten Sie selbst gern / nicht gern?

- Ich möchte auch frei leben.
- Ich möchte lieber keinen Tiger küssen.
- Ich beschmutze dauernd meine Kleidung.
- Ich möchte auch keine Regeln beachten.
- Ich liebe Regeln. So ist das Leben einfach.
- Ich zahle auch nicht gern Steuern.
- ...

8 Schreiben Sie selbst ein Gedicht. Arbeiten Sie mit einer Partnerin / einem Partner.

Ich möchte alle Städte kennen
Mein Fahrrad auch mal Auto nennen

Nie mehr will ich Hände waschen
Tausend Äpfel will ich naschen

Ich möchte nichts mehr sollen müssen

Du sollst den Rasen nicht betreten
Und am Abend sollst du beten
Vitamine sollst du essen
Und Termine nicht vergessen

Wir sollen nicht beim Spiel betrügen
Und wir sollen auch nie lügen
Wir sollen täglich Zähne putzen
Und die Kleidung nicht beschmutzen

Kinder sollen leise sprechen
Spiegel darf man nicht zerbrechen
Sonntags trägt man einen Hut
Zigaretten sind nicht gut

Ich möchte alle Sterne kennen
Meinen Hund mal „Katze" nennen
Nie mehr will ich Strümpfe waschen
Tausend Bonbons will ich naschen

Ich will keine Steuern zahlen
Alle Wände bunt bemalen
Ohne Schuhe will ich gehen
Ich will nie mehr Tränen sehen

Ich möchte nichts mehr sollen müssen
Ich möchte einen Tiger küssen
Ich möchte alles dürfen wollen
Alles können – nichts mehr sollen

Greta Amelungen

Fokus Hören

1 Die Schüler und der Lehrer haben ein Problem.

**a. Sehen Sie sich das Foto an.
Was, glauben Sie, kann das Problem sein?
Lesen Sie die Sätze und kreuzen Sie an.**

1. Die Schüler sind laut und können den Lehrer nicht hören.
2. Der Lehrer will den Unterricht beginnen, aber die Klasse möchte diskutieren.
3. Die Schüler sollen die Hausaufgaben vergleichen. Das möchte der Lehrer.
4. Das Fenster ist das Problem. Es ist auf und der Lehrer will es zumachen.
5. Das Fenster ist zu und zwei Schüler möchten es aufmachen.
6. Das Fenster ist kaputt und ein Schüler muss es bezahlen.

b. Diskutieren Sie im Kurs.

⊙ *Ich glaube, die Schüler sind laut und ...*
◆ *Nein, ich glaube, der Lehrer will ...*
□ *Das Fenster ist das Problem, glaube ich. Es ist auf/zu/kaputt ... und ...*

**c. Lesen Sie zuerst die Texte und hören Sie dann das Gespräch.
Welcher Text passt? X**

Susanne macht das Fenster auf.
Eric macht das Fenster zu.
Der Lehrer kommt.
Eric soll das Fenster wieder aufmachen.

Susanne macht das Fenster zu.
Eric macht das Fenster auf.
Der Lehrer kommt.
Eric soll das Fenster wieder zumachen.

Das Fenster ist zu.	Er soll	das Fenster **aufmachen**.
Das Fenster ist zu.	Er **macht**	das Fenster **auf**.
Das Fenster ist auf.	Er soll	das Fenster **zumachen**.
Das Fenster ist auf.	Er **macht**	das Fenster **zu**.

**d. Hören Sie das Gespräch noch einmal. Spielen Sie es dann mit verteilten Rollen im Kurs.
Sie können folgende Ausdrücke verwenden:**

Es ist warm hier.
Es ist zu kalt.
Es ist doch nicht warm/kalt.
...

Was ist denn los?
Ruhe bitte!
Die Pause ist zu Ende.
...

Kannst du bitte das Fenster aufmachen?
Machst du bitte das Fenster zu?
Er/sie soll das Fenster aufmachen/zumachen.
...

2 Gerda und Peter haben ein Problem.

a. Lesen Sie die Texte und hören Sie dann das Gespräch. Welcher Text passt? ✗ 

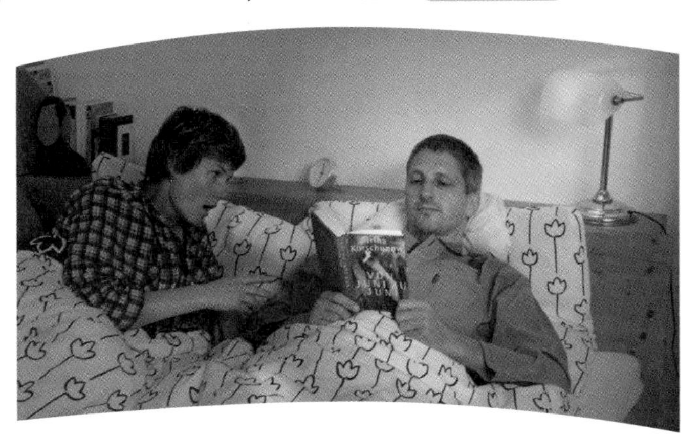

Gerda kann nicht schlafen.
Peter liest ein Buch.
Peter soll das Licht ausmachen.
Gerda macht das Licht aus.

Gerda schläft noch nicht, aber sie ist müde.
Peter möchte ein Buch lesen.
Gerda soll das Licht anmachen.
Gerda macht das Licht nicht an.

b. Wie kann man das Problem anders lösen? Diskutieren Sie Alternativen im Kurs.

- ⊙ *Peter soll auch ...*
- ◆ *Peter soll im Wohnzimmer ...*
- □ *Gerda kann vielleicht noch ein bisschen ...*

◎ lesen ◎ Musik hören ◎ schlafen ◎ warten ◎ ... ◎

	lesen	**schlafen**
ich	lese	schlafe
du	**liest**	**schläfst**
er/sie/es/man	**liest**	**schläft**
wir	lesen	schlafen
ihr	lest	schlaft
sie/Sie	lesen	schlafen

3 Ingrid und Georg haben ein Problem.

a. Lesen Sie die Texte und hören Sie die Gespräche. Welcher Text passt? ✗ 

Georg soll den Fernseher ausmachen.
Seine Frau Ingrid möchte nicht fernsehen.
Sie möchte lieber in Ruhe essen.
Aber Georg will einen Film sehen.
Er macht den Fernseher nicht aus.

Georg soll den Fernseher anmachen.
Seine Frau Ingrid will einen Film sehen.
Aber Georg möchte in Ruhe essen.
Ingrid macht den Fernseher an und sieht fern.
Georg macht den Fernseher wieder aus.

b. Essen und dabei fernsehen? – Wie finden Sie das?
Machen Sie Interviews in kleinen Gruppen und berichten Sie im Kurs.

- ⊙ *Ich finde, man kann essen und dabei fernsehen. Ich mache das oft.*
- ◆ *Ich meine, man soll nicht ... Das ist ...*
- ⊙ *Warum soll man nicht ...? Das ist doch ...*

4 „Zu" oder „auf", „aus" oder „an"?

Ergänzen Sie.

⊙ Der Koffer ist zu. Kannst du ihn bitte aufmachen?
◆ Moment, ich mache ihn sofort ....

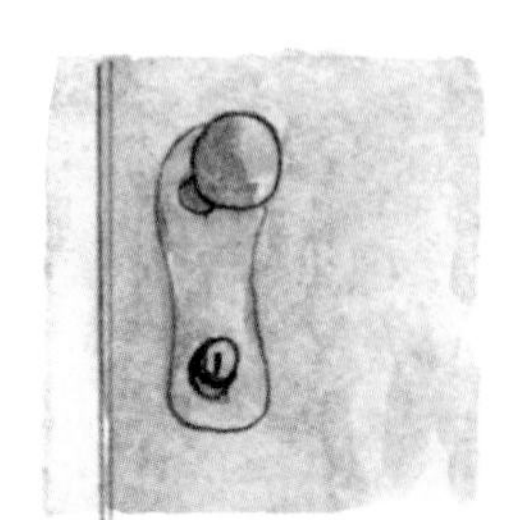

⊙ Die Tür ist auf. Kannst du sie bitte .... machen?
◆ Augenblick, ich mache sie gleich ....

⊙ Das Handy ist aus. Kannst du es bitte ...... machen?
◆ Natürlich, ich mache es sofort ....

⊙ Die Lampen sind an. Kannst du sie bitte ...... machen?
◆ Klar, ich mache sie sofort ....

5 „Die Tür ist zu. Kannst du ...?"

Üben Sie dann im Kurs weiter.

⊙ *Die Tür ist zu. Kannst du sie bitte aufmachen?*
◆ *Moment, ich mache sie gleich auf.*

⊙ *Der Drucker ist ... kannst du ihn bitte ...?*
◆ *Klar, ich ...*

- Der Drucker ist aus.
- Der Kühlschrank ist auf.
- Der Fernseher ist an.
- Das Fenster ist auf.
- Die Kerze ist an.
- Die Tasche ist auf.
- Die Lampe ist an.
- Das Auto ist zu.
- Der Computer ist aus.
- Der Herd ...
- Das Licht ...
- Das Radio ...
- Das Zimmer ...
- Das Buch ...
- Die Flasche ...

6 Emil im Bett

Was ist richtig? ✗

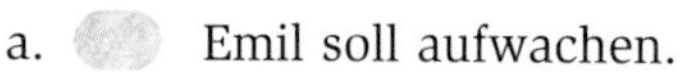

a. ◯ Emil soll aufwachen.
   ◯ Emil wacht nicht auf.

b. ◯ Emil steht auf.
   ◯ Emil soll aufstehen.

c. ◯ Emil muss nicht arbeiten.
   ◯ Emil darf nicht arbeiten.

d. ◯ Emil kann weiterschlafen.
   ◯ Emil muss weiterschlafen.

7 Babysitter 2 | 27

Hören Sie und ergänzen Sie den Text.

a. Der Bruder .... nicht kommen.
Er ....

b. Das Mädchen .... nicht kommen.
Es ....

c. Die Mutter .... nicht kommen.
Sie ....

- will schlafen
- hat keine Lust
- darf
- will
- kann
- hat keine Zeit
- will arbeiten
- hat Besuch
- soll Klavier üben
- soll schlafen
- muss Tennis spielen
- muss arbeiten

8 Im Auto

a. Betrachten Sie das Foto. Was glauben Sie: Um welche Frage geht es im Text?

- Wie schnell kann der Porsche fahren?
- Wie gut kann die Frau fahren?
- Wie schnell darf man hier fahren?
- Wie schnell dürfen Eltern fahren?

b. Hören Sie den Text. Was ist richtig?  ✗  2 | 28

a. Das Kind möchte langsam fahren.
b. Das Kind möchte ganz schnell fahren.
c. Die Frau darf nur 50 fahren.
d. Der Porsche kann 200 fahren.
e. Der Porsche kann nur 100 fahren.
f. Die Frau fährt 130.
g. Die Frau fährt 200.

	fahren
ich	fahre
du	**fährst**
er/sie/es/man	**fährt**
wir	fahren
ihr	fahrt
sie/Sie	fahren

9 Florian 2 | 29

Hören Sie das Gespräch. Was ist richtig? ✗

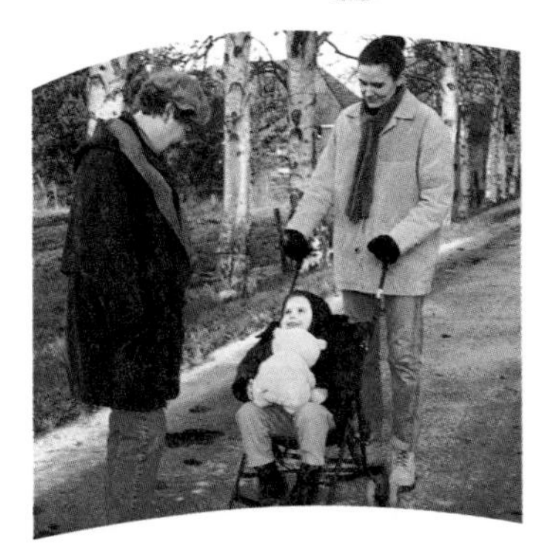

a. Frau Wolf fragt: „Warum sagt Florian nicht ‚Guten Tag'?“
Die Mutter sagt: „Er kann nicht sprechen.“

b. Frau Wolf fragt: „Warum will Florian nicht sprechen?“
Die Mutter sagt: „Ich weiß es nicht.“

c. Die Mutter fragt: „Florian, warum sprichst du nicht?“
Florian sagt: „Ich will nicht.“

	wissen
ich	**weiß**
du	**weißt**
er/sie/es/man	**weiß**
wir	wissen
ihr	wisst
sie/Sie	wissen

Fokus Sprechen

1 Hören Sie und sprechen Sie nach.

Markieren Sie die Betonung.

tauchen — Der Delfin taucht.
weitertauchen — Er taucht weiter.
auftauchen — Er taucht auf.
eintauchen — Er taucht ein.

schlafen — Die Katze schläft.
weiterschlafen — Sie schläft weiter.
aufwachen — Sie wacht auf.
aufstehen — Sie steht auf.

sprechen — Der Papagei spricht.
nachsprechen — Er spricht das Wort nach.
weitersprechen — Er spricht weiter.

2 Lernst du?

Lesen Sie die Gespräche mit einer Partnerin/einem Partner. Variieren Sie sie dann.

1.

- ⊙ Lernst du?
- ◆ Ja, ich lerne.
- ⊙ Willst du noch weiterlernen?
- ◆ Ja, ich lerne noch ein bisschen weiter.

2.

- ⊙ Was machst du?
- ◆ Ich lerne.
- ⊙ Möchtest du keine Pause machen?
- ◆ Nein, ich muss weiterlernen.
- ⊙ Wie lange lernst du noch weiter?
- ◆ Das weiß ich noch nicht.

- ~~lernen – weiterlernen~~
- schreiben – weiterschreiben
- lesen – weiterlesen
- im Internet surfen – weitersurfen
- rechnen – weiterrechnen
- zeichnen – weiterzeichnen
- malen – weitermalen
- üben – weiterüben
- arbeiten – weiterarbeiten

3 Er macht zufrieden den Fernseher aus.

Kombinieren Sie und schreiben Sie Sätze zu jedem Verb. Lesen Sie sie dann vor.

er / sie ihr	anmachen ausmachen	schnell langsam in Ruhe zufrieden müde	Fernseher – DVD-Rekorder Kerze – Lampe
	aufmachen zumachen		Jacke – Mantel Rucksack – Tasche
	nachsprechen		Wort – Satz Übung – Text
	weiterlesen		Buch – Brief Ansichtskarte – Text
	ausfüllen		Formular

Er macht zufrieden den Fernseher aus.

Sie spricht langsam das Wort nach.

...

Er macht zufrieden den Fernseher und den DVD-Rekorder aus.

Sie spricht langsam das Wort und den Satz nach.

...

4 Er schläft. Sie fährt.

a. Ergänzen Sie zuerst die Formen.

	er / sie	sie / er
schlafen – fahren	*schläft*	*fährt*
fernsehen – lesen	....	....
schlafen – waschen	....	....
essen – sprechen	....	....
sprechen – lesen	....	....
...		

b. Überlegen Sie dann zusammen mit einem Partner kurze Texte. Lesen Sie die Texte im Kurs vor.

Er schläft. Sie fährt. Er sieht fern. Sie ...
Er schläft und schläft. Sie fährt und fährt. ...

5 Sie liest. Ihr lest.

a. Welchen Satz hören Sie? ✗ 2 | 31  33

a. ◯ Sie liest. ◯ Ihr lest. ◯ Sie lesen.
b. ◯ Sie sieht fern. ◯ Sie sehen fern. ◯ Ihr seht fern.
c. ◯ Ihr esst. ◯ Sie essen. ◯ Sie isst.
d. ◯ Sie vergessen. ◯ Sie vergisst. ◯ Ihr vergesst.
e. ◯ Sie wäscht. ◯ Ihr wascht. ◯ Sie waschen.
f. ◯ Ihr tragt Hüte. ◯ Sie trägt Hüte. ◯ Sie tragen Hüte.
g. ◯ Sie betreten den Rasen. ◯ Ihr betretet den Rasen. ◯ Sie betritt den Rasen.
h. ◯ Sie weiß. ◯ Ihr wisst. ◯ Sie wissen.

b. Lesen Sie alle Sätze laut. Achten Sie auf die Vokale und Umlaute.

6 Schläfst du nicht? Schlaft ihr nicht?

a. Markieren Sie die Vokale in den Verbformen.

⊙ Schläfst du nicht? ◆ Nein, ich schlafe nicht.
⊙ Liest du? ◆ Nein, ich lese nicht.
⊙ Isst du? ◆ Nein, ich esse nicht.
⊙ Sprichst du Spanisch? ◆ Nein, ich spreche Italienisch.
⊙ Naschst du? ◆ Nein, ich nasche nicht.

⊙ Schlaft ihr nicht? ◆ Nein, wir schlafen nicht.
⊙ Lest ihr? ◆ Nein, wir lesen nicht.
⊙ Esst ihr? ◆ Nein, wir essen nicht.
⊙ Sprecht ihr zusammen? ◆ Ja, wir sprechen zusammen.
⊙ Nascht ihr? ◆ Nein, wir naschen nicht.

b. Hören Sie und sprechen Sie nach.

7 Jochen möchte kochen.

a. Markieren Sie in den Wörtern das „ch".

Das ist Jochen.
Er möchte kochen.
Er braucht ein Buch.
Er sucht ein Taschentuch.
Was braucht er noch?
Er braucht einen Topf.
Jochen, du brauchst Licht.
Siehst du die Schlange nicht?

2 | 33

b. Hören Sie und sprechen Sie nach.

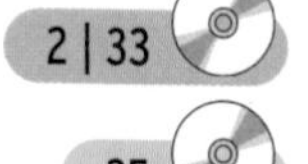

c. Suchen Sie weitere Wörter aus Lerneinheit 1 bis 19 mit ‚ch' und bilden Sie damit Sätze. Arbeiten Sie mit einer Partnerin/einem Partner. Lesen Sie Ihre Sätze dann im Kurs vor.

Mein Nachbar lacht. Das Mädchen ist glücklich. Die Gespräche sind ähnlich. Ich möchte Milch.
...

„Wollen wir zusammen lernen?"

a. Hören Sie die Gespräche.

Gespräch 1 

- ⊙ Wollen wir zusammen lernen? Hast du Lust?
- ◆ Ja, gute Idee! Wann hast du Zeit?
- ⊙ Morgen. Geht das?
- ◆ Tut mir leid. Morgen kann ich nicht.
- ⊙ Und übermorgen?
- ◆ Ja, das geht. Übermorgen habe ich Zeit.

Gespräch 2 

- ⊙ Können wir mal wieder zusammen Tennis spielen?
- ◆ Ja, warum nicht?
- ⊙ Prima. Haben Sie am Sonntag Zeit?
- ◆ Ja, am Sonntag kann ich.
- ⊙ Sehr gut. Passt Ihnen 10 Uhr?
- ◆ Ja, einverstanden.
- ⊙ Also dann bis Sonntag.
- ◆ Bis dann!

b. Spielen Sie die Gespräche im Kurs.

Variieren Sie die Gespräche.

Sie können die folgenden Ausdrücke verwenden:

Wollen/Können wir mal wieder zusammen	lernen? im Internet surfen? Fahrrad fahren? Ski fahren? Tischtennis spielen? einen Film sehen? ein Eis essen? einen Kaffee trinken?	Ja, gern. Ja, gute Idee. Ja, gut. Ja, warum nicht?	Wann geht es denn? Wann hast du denn Zeit? Wann haben Sie denn Zeit? Wann kannst du denn? Wann können Sie denn?
Sonntag Montag ...	kann ich gut. Und du? kann ich gut. Und Sie?	Ja, da kann ich auch gut. Ja, Sonntag geht es gut.	Wann denn? Um wie viel Uhr?
Um 9 Uhr. Einverstanden?	Ja, gut. Okay. Also bis Sonntag! Dann sehen wir uns Sonntag!		
Ja, bis dann!			

Fokus Schreiben

1 Hören Sie zu und schreiben Sie. 2 | 36

.... Frau Noll ....

Sie .... noch.

.... auch .... Apfel ....

.... Dann ....

Um ....

2 Was bedeuten die Schilder?

Besprechen Sie die Schilder mit einer Partnerin/einem Partner. Schreiben Sie dann Sätze dazu.

a. Hier darf man nicht angeln.
b. Hier darf ....
c. ....
d. ....
e. ....
f. ....
g. ....
h. ....
i. ....

- Hier darf man ...
- Hier darf man nicht ...
- Hier darf man kein(e) ...
- Hier kann man ...
- Hier muss man ...

reiten · parken · angeln · telefonieren · rauchen · schwimmen · langsam fahren · Autos waschen · Eis essen

3 Betrachten Sie die Zeichnungen.

a. Ergänzen Sie die Sätze. Was passt?

1. *Hunde* ....

2. *Hier kann man* ....

3. *Der Turm ist* ....

4. *Das Parkhaus* ....

5. *Man darf hier* ....

6. *Telefonieren ist* ....

7. *Radios* ....

8. *Hier dürfen* ....

9. *Das Wasser* ....

- nur Busse fahren.
- müssen draußen bleiben.
- hier nicht erlaubt.
- ist ab 6 Uhr geöffnet.
- Kartoffeln kaufen.
- sind hier verboten.
- keine Tauben füttern.
- kann man trinken.
- von Montag bis Freitag geschlossen.

b. Finden Sie zu jeder Zeichnung noch mehr passende Sätze. Arbeiten Sie mit einem Partner.

Hier dürfen nur Busse fahren. / Autos dürfen hier nicht fahren. / Radfahren ist hier verboten. ...

4 Kleine Nachrichten

a. Welcher Text passt zu welchem Bild? Finden Sie die Lösung gemeinsam im Kurs.

Hallo Jochen,

ich komme heute Abend um 7 Uhr nach Hause. Dann gehen wir essen. Okay?
Kannst du bitte die Waschmaschine ausschalten?

PS: Der Fernseher ist kaputt! Der Kundendienst kommt morgen.

Kuss Sabine

Bild Nr.

Liebe Frau Hoffmann,

ich muss dringend nach Hamburg fahren. Können Sie bitte meine Frau anrufen?

Bitte nicht vergessen: Sie müssen das Büro abschließen.

Bis morgen
B.Z.

Bild Nr.

Hallo Clara und Paula,

ihr seid nicht da – schade! Wollen wir mal wieder zusammen schwimmen gehen? Habt ihr morgen Zeit?

Bis dann
Marc

(Meine Telefonnummer wisst ihr ja. Ich bin heute Abend zu Hause)

Bild Nr.

b. Was sind die wichtigen Informationen auf den Zetteln? Arbeiten Sie mit einem Partner.

Sabine kommt um 7 Uhr nach Hause. Sie möchte essen gehen. …

c. Schreiben Sie die Zettel mit kleinen Varianten neu und lesen Sie sie dann im Kurs vor.

Hallo Jochen, ich komme heute Abend um 10 Uhr nach Hause. Dann gehen wir tanzen. Okay? …

- nach Rom fliegen
- Mutter anrufen
- alle Fenster schließen
- zusammen Tennis spielen
- am Samstag Zeit haben
- Adresse wissen

5 Schreiben Sie Notizzettel.

a.
Eva schreibt eine Nachricht für Peter. Sie kommt um 20 Uhr nach Hause. Dann will sie einen Fernsehfilm sehen. Peter soll die Fenster zumachen.
PS: Eva kann ihre Schlüssel nicht finden. Peter soll sie suchen.

Lieber Peter,
....
....
....
....
Gruß und Kuss
Deine Eva
....
PS: ....

b.
Vera schreibt einen Zettel für Anna und Uta. Sie sind nicht zu Hause. Vera möchte surfen gehen. Anna und Uta sollen mitkommen. Vera hat am Wochenende Zeit. Ihre Telefonnummer ist 667321. Vera ist morgen zu Hause.

Hallo Anna und Uta,
....
....
....
....
....
Tschüs
Vera

c.
Frau Meyer (Chefin) schreibt eine Notiz für ihren Mitarbeiter. Sie muss nach London fliegen. Herr Brösel soll alle Termine absagen und die Anrufe notieren. Frau Meyer ist am Montag wieder zurück.

Lieber Herr Brösel,
....
....
....
....
....
Bis dann
CM

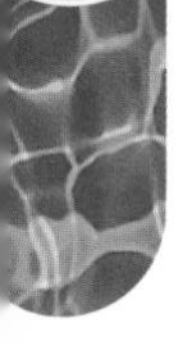

2m
2m
1
5
J 4893

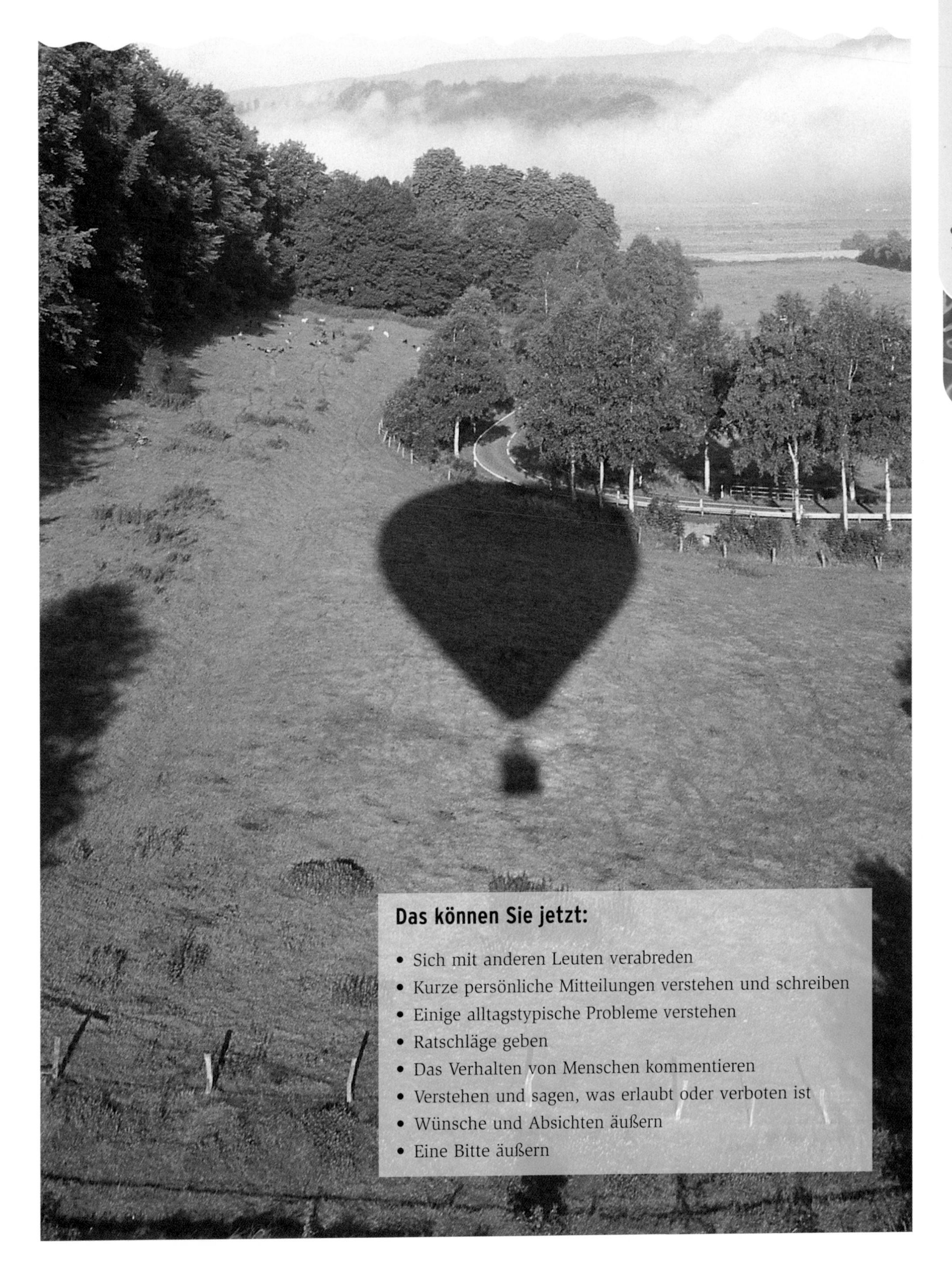

Das können Sie jetzt:

- Sich mit anderen Leuten verabreden
- Kurze persönliche Mitteilungen verstehen und schreiben
- Einige alltagstypische Probleme verstehen
- Ratschläge geben
- Das Verhalten von Menschen kommentieren
- Verstehen und sagen, was erlaubt oder verboten ist
- Wünsche und Absichten äußern
- Eine Bitte äußern

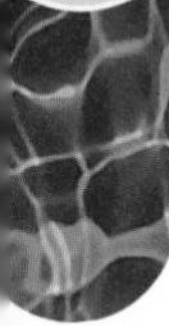

Angeln verboten 

- Halt! Können Sie nicht lesen? Angeln ist hier verboten!
- Ich weiß. Wer angelt denn?
- Na Sie. Sie wollen doch angeln, oder nicht?
- Ja, ich will angeln. Ist angeln wollen auch verboten?
- Machen Sie keine Witze! Sie dürfen hier nicht angeln.
- Ich weiß. Ich angle ja auch nicht.
- Also wollen Sie gar nicht angeln?
- Doch. Ich will schon angeln, aber ich darf ja nicht. Also angle ich nicht und will nur angeln.
- Angeln und angeln wollen – da ist doch kein Unterschied.
- Doch, da ist ein Unterschied. Angeln ist angeln. Und angeln wollen ist angeln wollen.
- Das ist doch ...
- ... ganz einfach. Ich angle nicht, ich will angeln.
- Das ist auch verboten!
- Dann müssen Sie ein Schild schreiben: Angeln wollen verboten.
- Sie machen mich verrückt.
- Möchten Sie nicht auch ein bisschen angeln wollen? Das ist gut für die Nerven.

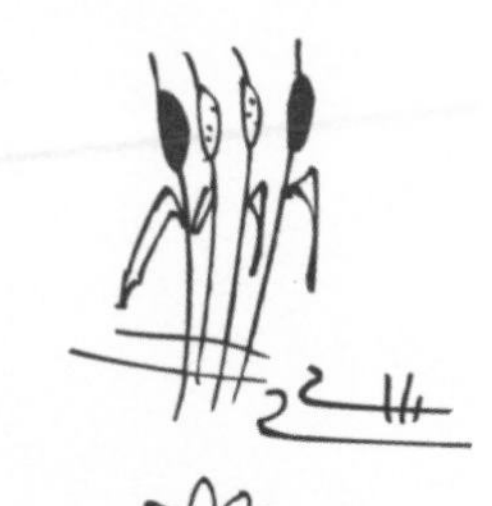

4 Der Igel steht vor dem Spiegel.

a. Betrachten Sie die Zeichnung und ergänzen Sie die Sätze.

1. Der Fisch liegt *unter* *dem* *Tisch*.
2. Der Wurm sitzt ....
3. Die Flasche liegt ....
4. Die Mücke sitzt ....
5. Das Mofa liegt ....
6. Die Maus sitzt ....
7. Die Katze liegt ....
8. Die Taube sitzt ....

~~unter dem Tisch~~ ◎ auf der Brücke ◎ auf dem Haus ◎ unter den Matratzen ◎ auf den Stühlen ◎ auf dem Turm ◎ unter dem Sofa ◎ unter der Tasche

b. Ergänzen Sie die Artikel und notieren Sie die Nummern aus der Zeichnung.

Das Bild hängt über .... Schild. ( )

Der Polizist steht hinter .... Baum. ( )

Der Igel steht vor .... Spiegel. ( )

Das Schild hängt neben .... Tür. ( )

Der Hund steht zwischen .... Koffern. ( )

Die Laterne steht neben .... Bäckerei. ( )

stehen sitzen liegen hängen	auf über unter vor hinter neben zwischen	**Wo?** **→ Dativ**

5 Üben Sie weiter mit Dingen aus dem Unterrichtsraum.

⊙ *Wo steht/liegt/hängt/sitzt ...?* ◆ *Der/Die/Das ... steht/liegt/sitzt/hängt ... auf/neben/vor ...*

6 Stehen oder stellen ...?

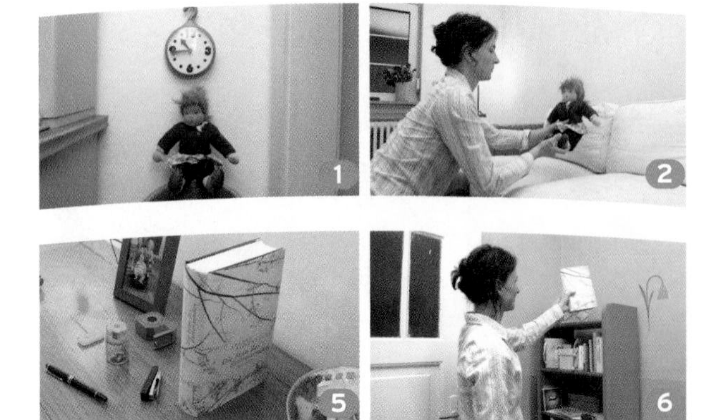

Was passt? Notieren Sie die Nummer.

a. ___ Das Buch steht auf dem Schreibtisch.
b. ___ Der Spiegel hängt neben dem Regal.
c. ___ Die Puppe sitzt unter der Uhr.
d. ___ Die Papiere liegen auf dem Sofa.
e. ___ Sie legt die Papiere auf den Schreibtisch.
f. ___ Sie stellt das Buch auf das Regal.
g. ___ Sie hängt den Spiegel neben die Uhr.
h. ___ Sie setzt die Puppe auf das Sofa.

stehen sitzen liegen hängen	auf über unter vor hinter neben zwischen	**Wo?** **→ Dativ**

stellen setzen legen hängen	auf über unter vor hinter neben zwischen	**Wohin?** **→ Akkusativ**

7 Was passt zusammen?

Ergänzen Sie die Verbformen und die Nummern. Arbeiten Sie mit einer Partnerin/einem Partner.

a. 5 Das Kind *setzt* den Topf auf den Kopf.
b. ___ Der Junge .... den Ball hinter den Stall.
c. ___ Der Camper .... das Geld unter das Zelt.
d. ___ Der Kellner .... den Kaffee neben den Tee.
e. ___ Der Buchhändler .... die Tücher vor die Bücher.
f. ___ Die Maler .... die Leiter zwischen die Häuser.

legt ◎ stellen ◎ ~~setzt~~ ◎ hängt ◎ stellt ◎ legt

8 Wohin legt der Verkäufer den Fisch?

Betrachten Sie die Zeichnung.
Ergänzen Sie die Sätze mit einer Partnerin/einem Partner und tragen Sie die Nummern ein.

a. Das Mädchen setzt die Puppe ....
b. Die Maus bringt den Käse ....
c. Der Briefträger stellt das Fahrrad ....
d. Das Kind wirft die Mütze ....
e. Der Verkäufer legt den Fisch ....
f. Der Pfarrer stellt die Bank ....
g. Der Mann hängt das Bild ....
h. Der Kellner legt das Messer ....
i. Die Kinder werfen die Bälle ....
j. Die Mutter setzt das Kind ....

- hinter das Haus
- auf die Bank
- neben den Schrank
- unter den Balkon
- auf den Tisch
- über das Schild
- auf das Pferd
- zwischen die Autos
- vor die Pfütze
- neben den Teller

9 Machen Sie ein Übungsspiel im Kurs.

Ein Teilnehmer beginnt und legt z. B. seine Uhr unter einen Stuhl. Die anderen sagen, was er/sie macht. Dann macht der nächste Teilnehmer weiter und stellt z. B. seine Tasche auf den Tisch.

⊙ *Er legt die Uhr unter den Stuhl.*
◆ *Sie stellt die Tasche auf den Tisch.*
□ *Er hängt …*

Fokus Lesen

1 Im Krankenhaus

a. Sehen Sie sich die Fotos 1 bis 8 an.

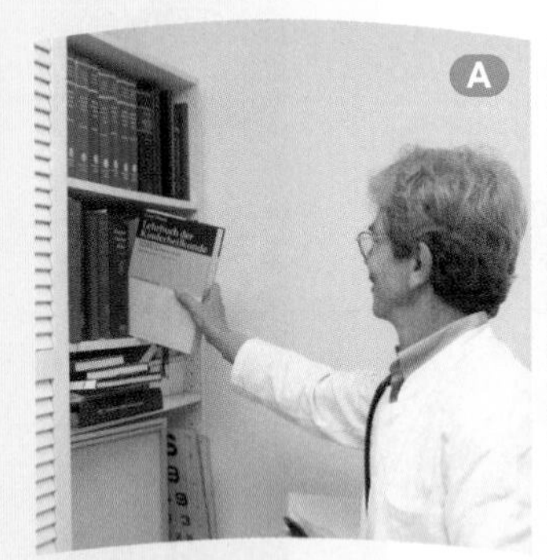

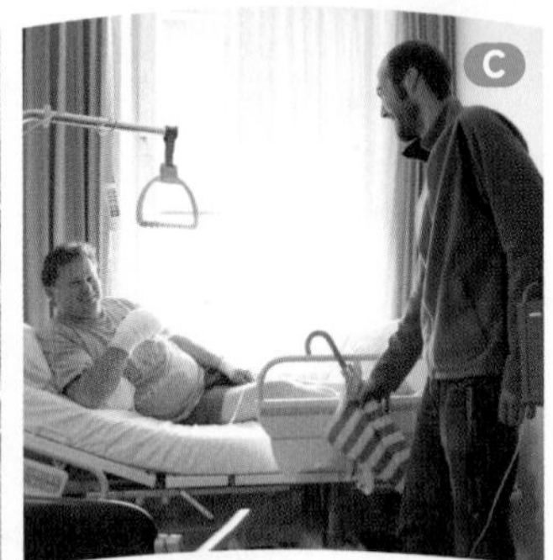

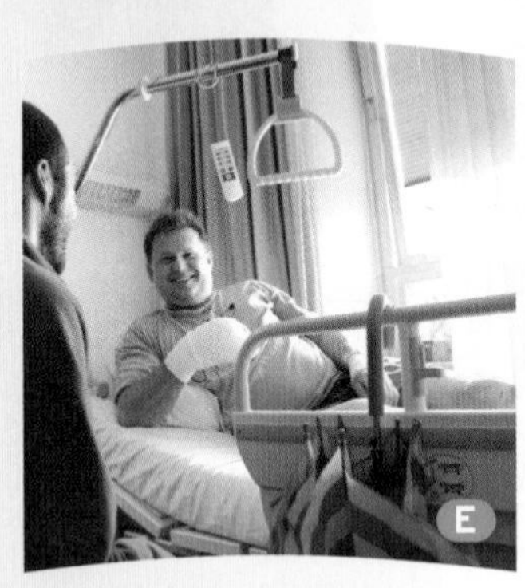

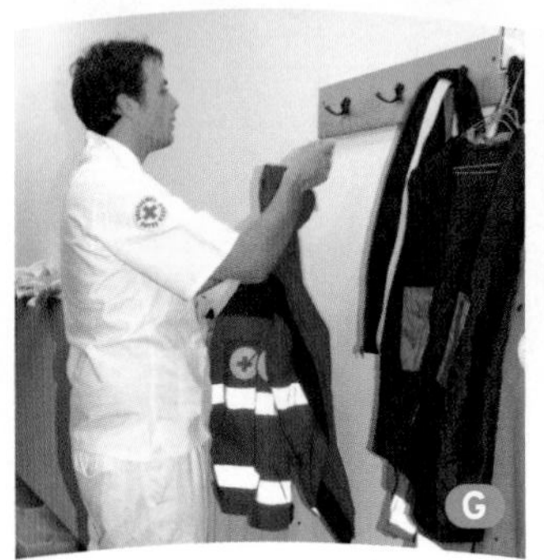

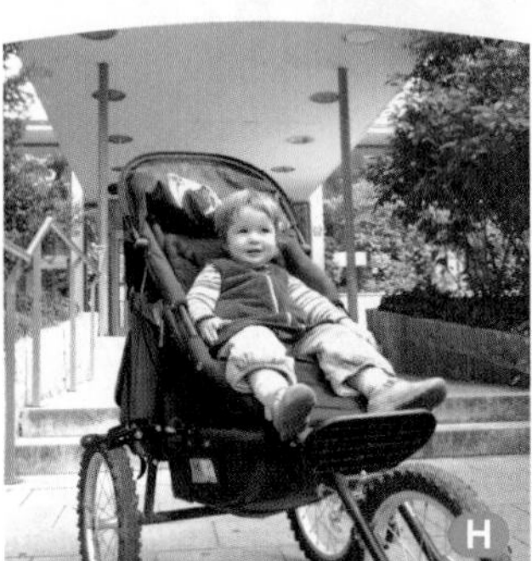

b. Welche Sätze passen zu den Fotos?

1. ☐ Die Krankenschwester setzt das Kind in den Kinderwagen.
2. ☐ Der Arzt stellt das Buch ins Regal.
3. ☐ Der Sanitäter hängt die Jacke an den Haken.
4. ☐ Der Besucher hängt seinen Schirm ans Bett.
5. ☐ Das Kind sitzt im Kinderwagen.
6. ☐ Das Buch steht im Regal.
7. ☐ Die Jacke hängt am Haken.
8. ☐ Der Schirm hängt am Bett.

c. „Wohin" oder „wo"? Auf welche Frage antworten die Sätze aus b? Arbeiten Sie mit einem Partner.

⊙ *Wohin setzt die Krankenschwester ...?* ◆ *Sie setzt das Kind ...*

⊙ *Wo hängt ...?* ◆ *...*

im = in dem   ins = in das
am = an dem   ans = an das

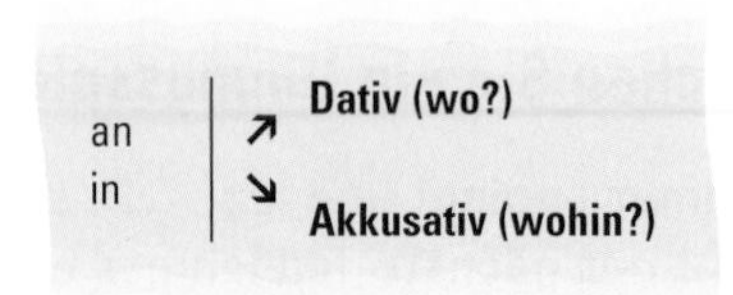

2 Wohin gehen die Personen? Wo sind sie? Woher kommen sie?

a. Hören Sie zu. 3 | 3 

b. Was ist richtig? 

Situation 1:
- Er geht zum Augenarzt.
- Er ist beim Augenarzt.
- Er kommt gerade vom Augenarzt.

Situation 2:
- Sie geht zur Kosmetikerin.
- Sie ist bei der Kosmetikerin.
- Sie kommt gerade von der Kosmetikerin.

Situation 3:
- Er hat Probleme mit dem Fuß.
- Sein Bein tut weh.
- Er hat Schmerzen in seinem Arm.

Situation 4:
- Sie geht zum Hals-Nasen-Ohren-Arzt.
- Sie ist beim Hals-Nasen-Ohren-Arzt.
- Sie kommt eben vom Hals-Nasen-Ohren-Arzt.

Situation 5:
- Er fährt mit dem Auto zur Apotheke.
- Er ist in der Apotheke.
- Er kommt gerade aus der Apotheke.

Situation 6:
- Sie muss direkt nach dem Schild rechts fahren.
- 50 Meter nach dem Schild ist die Apotheke.
- Sie fährt vor dem Schild links.

zum = zu dem   beim = bei dem
zur = zu der   vom = von dem

aus   mit   von
bei   nach   zu
→ **Dativ**

3 „Wohin gehe ich?" „Wo bin ich?" „Woher komme ich?"

Machen Sie ein Ratespiel im Kurs: Jeder wählt eine Situation und spielt sie pantomimisch vor.

⊙ *Bist du beim Arzt?* ◆ *Ja, das stimmt./Nein, ich bin nicht beim Arzt.* ⊙ *Bist du vielleicht …*
⊙ *Gehst du zum … ?* ◆ *Ja, das stimmt./Nein, …*
⊙ *Kommst du vom … ?* ◆

bei … sein · zu … gehen · von … kommen

in … sein · zu … gehen · aus … kommen

~~Arzt~~ · Frisör · Bäcker · Zahnarzt · Kosmetikerin · Buchhändler · Blumenhändlerin · …

Arztpraxis · Frisörgeschäft · Bäckerei · Zahnarztpraxis · Kosmetikgeschäft · Buchhandlung · Blumenladen · …

4 Wie heißt das auf Deutsch?

Was passt? Benutzen Sie das Wörterbuch und ergänzen Sie die Nummern.

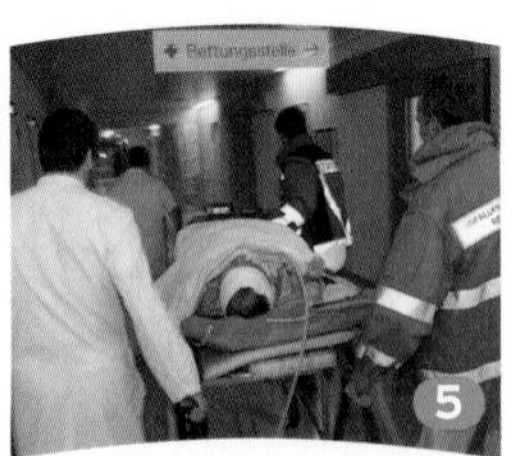

der Hafen 2 das Tor ___ der Container ___ die Notaufnahme ___ der Kran ___

5 Betrachten Sie die Fotos auf der Seite rechts.

Lesen Sie den Text einmal schnell durch. Sie müssen dabei nicht jedes Wort verstehen.

Was ist richtig? ✗

a. Es gibt einen Unfall
- auf einem Schiff.
- auf einer Autobahn.
- in einem Hafen.
- an einem Flughafen.

b. Bei der Fahrt gibt es Probleme
- mit einer Ampel.
- mit dem Blaulicht.
- mit dem Notarztwagen.
- mit Autofahrern.

c. Ein Auto liegt
- unter einem Kran.
- unter einem Container.
- im Wasser.
- unter einer Brücke.

d. Das Unfallopfer ist
- unverletzt.
- leicht verletzt.
- schwer verletzt.
- tot.

Nominativ	Dativ
ein Flughafen	an einem Flughafen
eine Ampel	an einer Ampel
ein Schiff	auf einem Schiff
Autofahrer	mit Autofahrern

6 Lesen Sie jetzt den Text Abschnitt für Abschnitt und ergänzen Sie.

a. 8:24:00	In der Notaufnahme:	Das Telefon ....
b. 8:24:10	Draußen:	Sie rennen zum Notarztwagen vor dem ....
c. 8:35	Vor einem ....:	Der Rettungswagen muss ....
d. 8:39	Am Unfallort:	Die Ärztin läuft zum ....
e. 8:46	Auf der ....:	Sie fahren zum Krankenhaus zurück.
f. 8:59	Vor der Notaufnahme:	Sie heben das Unfallopfer aus dem ....

8:24	acht Uhr vierundzwanzig
8:24:10	acht Uhr vierundzwanzig und zehn Sekunden

7 Fragen zum Text

Formulieren Sie Fragen zu den Textabschnitten. Arbeiten Sie mit einer Partnerin/einem Partner. Stellen Sie dann die Fragen im Kurs. Die anderen antworten.

Wo steht der Notarztwagen? Wohin fährt der Notarztwagen? Warum schimpft der Fahrer? ...

Notarztwagen

Lebensretter im Dienst

Tod oder Leben – manchmal entscheiden Sekunden.
Ein Bericht von Bruno Benz

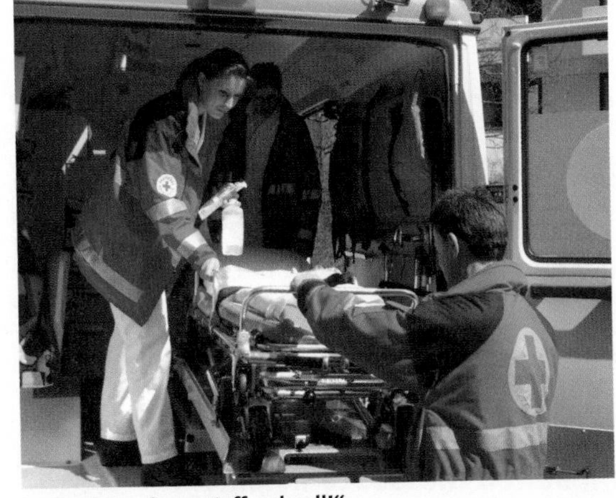

Dr. Becker: „Sauerstoff, schnell!"

Hafenkrankenhaus Hamburg. In der Notaufnahme klingelt das Telefon. Die Uhr über der Tür zeigt 08:24:00 Uhr. Zehn Sekunden später reißen die Notärztin und zwei Sanitäter ihre Jacken vom Haken und rennen zum Notarztwagen. Der steht vor dem Eingang. Türen zu, Blaulicht und Sirene an und los. Die Ärztin sitzt vorne neben dem Fahrer und dem Krankenpfleger. Alle drei schauen konzentriert auf den Verkehr. Einige Autofahrer machen die Straße nicht frei. Der Fahrer schimpft.

Sekunden sind jetzt wichtig.

08:35 Uhr. Hamburger Hafen. Der Rettungswagen muss vor einem Tor halten. Ein Mann in Uniform macht es auf und ruft: „Schnell, schnell! Da hinten beim Kran ist es!" Der Wagen fährt weiter und hält am Unfallort. Die Ärztin springt aus dem Auto, aber sie kann noch nichts tun. Ein Personenwagen, ein Golf, liegt unter einem Container. Zwei Feuerwehrmänner brechen die Tür auf. Der Fahrer blutet am Kopf, am Arm und an den Händen. Er zeigt keine Reaktion. Sekunden sind jetzt wichtig.

08:39 Uhr. Geschafft. Die Tür ist auf. Die Ärztin schiebt die Leute zur Seite und läuft zum Unfallopfer. Sie untersucht den Mann, er atmet schwach. Die Sanitäter heben ihn auf eine Trage. „Vorsicht, nicht auf die Brust drücken", sagt die Ärztin. Die beiden Männer schieben die Trage in den Notarztwagen. „Sauerstoff, schnell!" Der Krankenpfleger legt dem Opfer eine Atemmaske auf das Gesicht.

„Der Job geht echt unter die Haut."

08:46 Uhr. Autobahn. Tempo 100. Das Rettungsteam fährt mit dem Unfallopfer zum Krankenhaus zurück. Der Mann auf der Trage hat Schmerzen und stöhnt. Schon fahren sie über die Elbe.

08:59 Uhr. Notaufnahme: Die Sanitäter warten bereits und heben das Unfallopfer aus dem Wagen. Die Ärztin steigt aus und sagt nur kurz: „Rippenbrüche und Schock."

Der Einsatz ist zu Ende. 35 Minuten. Wann kommt der nächste Anruf von der Zentrale? Das weiß niemand. Die Notärztin heißt Doktor Hildegard Becker. Sie ist 28 Jahre alt, verheiratet, Kinder hat sie nicht. Sie arbeitet im Hafenkrankenhaus. Der Rettungsdienst ist hart. „Ich liebe meinen Beruf", sagt sie, „aber der Job geht echt unter die Haut. Nicht immer geht es so gut wie heute. Manchmal kommen wir zu spät."

23 Fokus Hören

1 Eine Nachricht auf dem Anrufbeantworter

3 | 4

Hören Sie das Gespräch. Was ist richtig? ✗

a. ◯ Herr Schulze möchte Ehepaar Wegmann zum Essen einladen.
b. ◯ Herr Schulze möchte Ehepaar Wegmann zum Kaffee einladen.
c. ◯ Er sagt: „Bitte rufen Sie uns bis Sonntag an."
d. ◯ Er sagt: „Bitte rufen Sie uns bis Donnerstag an.

2 Wann sollen die Gäste kommen?

Hören Sie das Gespräch. Was sagt Herr Schulze? ✗

a. ◯ „Kommen Sie doch schon um acht Uhr."
b. ◯ „Kommen Sie doch schon um sieben Uhr."
c. ◯ „Kommen Sie doch schon vor sieben Uhr."

3 Eine Einladung zu einer Party

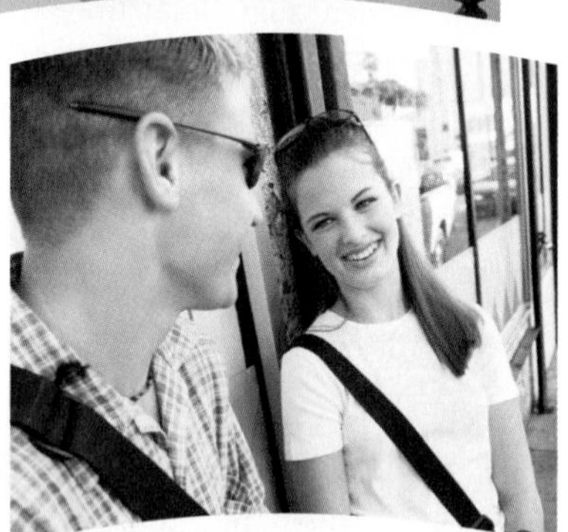

a. Hören Sie das Gespräch. Was ist richtig? ✗

1. ◯ Britta und Gerd heiraten am Freitag.
2. ◯ Britta hat am Freitag Geburtstag.
3. ◯ Zu der Party kommen 20 bis 50 Leute.
4. ◯ Zu der Party kommen 15 bis 20 Leute.
5. ◯ Sie wollen grillen.
6. ◯ Sie wollen eine Suppe kochen.

b. Hören Sie das Gespräch noch einmal. Was sagt Gerd?

A. Bitte bringt bloß	4	1. einen Kartoffelsalat.
B. Macht doch bitte		2. ein paar Würstchen mit.
C. Bringt doch noch		3. schon um sechs.
D. Vergesst bitte		(4.) kein Geschenk mit.
E. Kommt doch bitte		5. Ketchup und Senf nicht.

Imperativ

	Sie:	ihr:
kommen	kommen Sie ...	kommt ...
vergessen	vergessen Sie ...	vergesst ...
mitbringen	bringen Sie ... mit	bringt ... mit

4 Sagen Sie es anders. Ergänzen Sie die Imperativformen.

a. Können Sie bitte morgen anrufen? Bitte .... Sie morgen an.
b. Können Sie bitte um acht kommen? Bitte .... Sie um acht.
c. Können Sie bitte einen Salat mitbringen? Bitte .... Sie einen Salat mit.
d. Könnt ihr bitte morgen anrufen? Bitte .... morgen an.
e. Könnt ihr bitte um acht kommen? Bitte .... um acht.
f. Könnt ihr bitte einen Salat mitbringen? Bitte .... einen Salat mit.

5 Die Gäste kommen bald.

a. Sehen Sie sich das Foto an und hören Sie das Gespräch. 3 | 7 

b. Was sagt die Frau? Ergänzen Sie die Sätze.

1. Warum hängst du jetzt das Bild an die Wand ?
2. Stell bitte die Leiter ....
3. Hol bitte auch das Mineralwasser ....
4. Stellst du noch zwei Stühle .... ?
5. Nimm bitte die Vase ....
6. Stell bitte die Blumen ....
7. Häng bitte den Mantel ....
8. Setzt du den Papagei .... ?
9. Leg bitte die Gitarre ....
10. Holst du noch den Wein .... ?

in den Schrank ◎ aus dem Keller ◎ auf den Balkon ◎ in den Käfig ◎ vom Balkon ◎ ~~an die Wand~~ ◎ ins Schlafzimmer ◎ auf den Tisch ◎ an den Tisch ◎ aus dem Regal

6 Sagen Sie es anders. Formen Sie die Imperative um.

Arbeiten Sie mit einer Partnerin/einem Partner und vergleichen Sie die Ergebnisse im Kurs.

a. Hol bitte die Milch aus dem Kühlschrank. — *Holst du bitte die Milch aus dem Kühlschrank?*
Kannst du bitte die Milch aus dem Kühlschrank holen?

b. Nimm bitte die Vase vom Tisch. — *Nimmst du ... ?*
Kannst du ... nehmen?

c. Stell bitte die Kerzen auf den Tisch. — ...
d. Setz bitte die Puppe auf das Sofa.
e. Nimm bitte die Gläser aus dem Regal.
f. Leg bitte den Pullover in den Schrank.
g. Häng bitte das Bild an die Wand.

	Imperativ du:
stellen	stell ... (bitte)
nehmen	**nimm** ... (bitte)
mitbringen	bring (bitte) ... mit

7 Ein Kurstreffen vorbereiten

Einer schlägt etwas vor, die anderen antworten. Arbeiten Sie in kleinen Gruppen.

⊙ *Soll ich einen Salat machen?* ◆ *Ja, mach bitte einen Tomatensalat.*
⊙ *Sollen wir Getränke einkaufen?* ◆ *Ja, kauft bitte Getränke ein./Nein, die haben wir schon.*
⊙ *Soll ich ... mitbringen?* ◆ ...
⊙ *Sollen wir ... grillen?* ◆ ...

8 Ansagen im Zug 

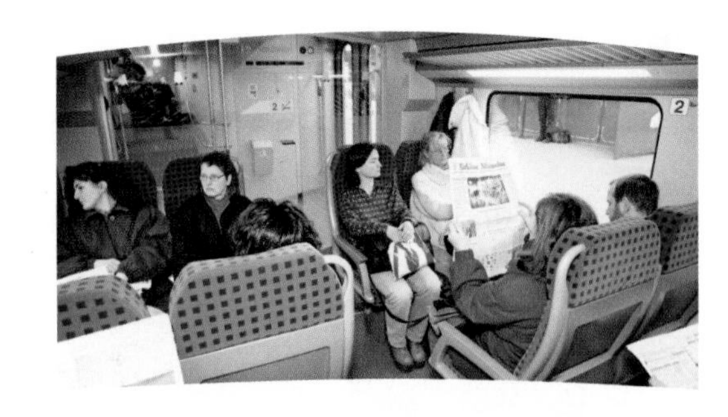

Hören Sie drei Ansagen im Zug. Was ist richtig? 

a. ◯ Der Zug kommt pünktlich in Hannover an.
◯ Der Zug kommt mit Verspätung in München an.

b. ◯ Der ICE nach Frankfurt wartet auf Bahnsteig 7.
◯ Der ICE nach Frankfurt fährt von Bahnsteig 3 ab.

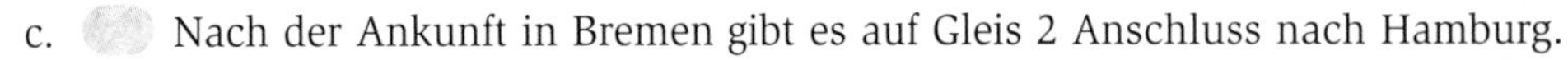

c. ◯ Nach der Ankunft in Bremen gibt es auf Gleis 2 Anschluss nach Hamburg.
◯ Nach der Ankunft in Hamburg gibt es auf Gleis 3 Anschluss nach Bremen.

9 Eine Fahrt mit dem Taxi 

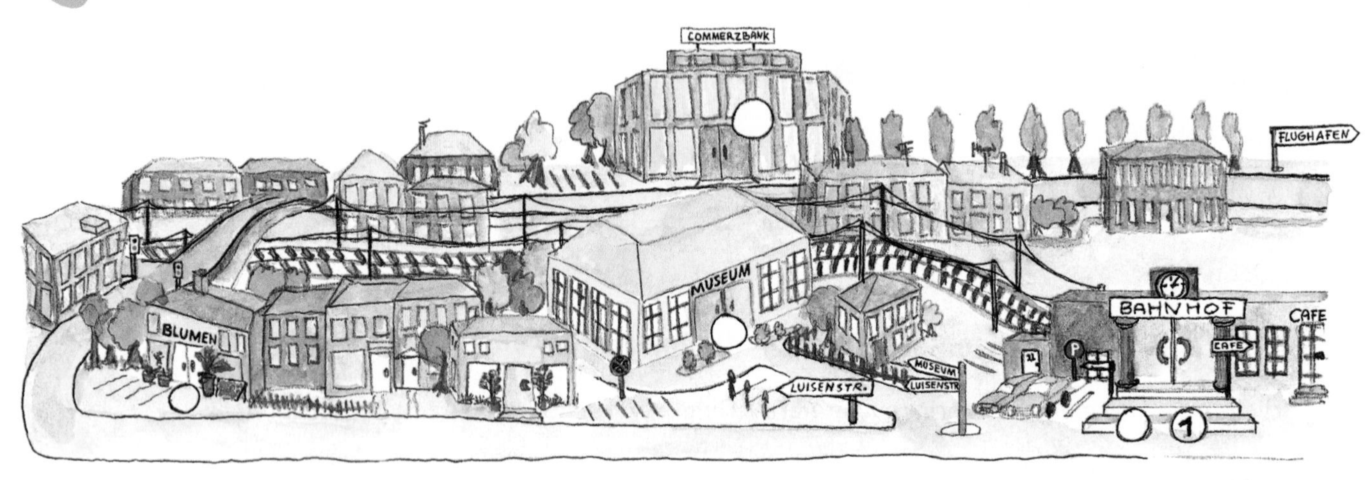

a. Hören Sie das Gespräch. Wohin fährt das Taxi? Ordnen Sie die Stationen mit den Nummern 1 bis 5.

b. Lesen Sie die Sätze. Hören Sie das Gespräch noch einmal und ordnen Sie die Sätze chronologisch.

1 Die Frau steigt am Bahnhof in ein Taxi.
◯ Der Taxifahrer will nicht weiterfahren und die Frau rennt weg.
◯ Die Frau holt ihre Brille aus dem Bahnhofscafé.
◯ Das Taxi hält vor dem Blumenladen in der Luisenstraße.
2 Der Taxifahrer soll vom Bahnhof zum Flughafen fahren.
◯ Der Taxifahrer fährt vom Blumenladen zur Commerzbank.
◯ Die Frau will von der Bank zum Flughafen.
◯ Das Taxi fährt vom Museumsplatz zurück zum Bahnhof.
◯ Die Frau kann keine Blumen kaufen, denn sie hat zu wenig Geld.
◯ Das Taxi fährt zur Luisenstraße.

10 Was passiert hier?

a. Hören Sie die fünf Gespräche. 3 | 10–14

b. Welches Gespräch passt zu welchem Satz?

- Er fährt gegen den Baum.
- Er reitet durch den Wald.
- Er bekommt eine Wurst für seinen Hund.
- Er schläft nicht ohne seinen Teddy.
- Die Einbrecher gehen um das Haus.

11 Welche Präposition passt?

a. Der Sportler schwimmt .... den See.

b. Der Sportler läuft .... den See.

c. Der Sportler wirft den Ball .... die Wand.

d. Der Sportler holt eine Decke .... sein Pferd.

e. Der Sportler joggt nie .... seine Wasserflasche.

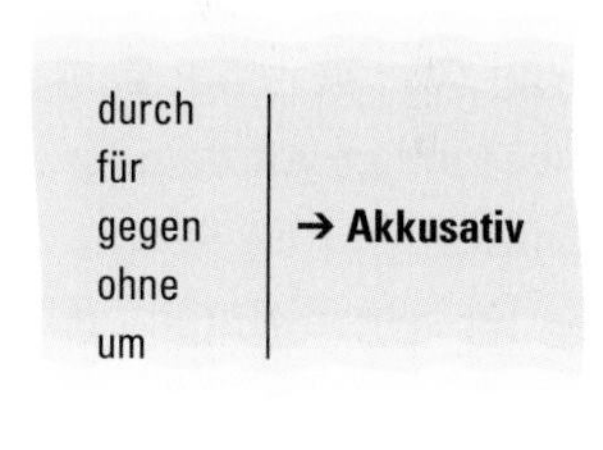

durch
für
gegen → **Akkusativ**
ohne
um

für · um · ohne · gegen · durch

12 Spielen Sie Situationen im Unterrichtsraum. Die anderen beschreiben.

um ... gehen	durch ... gehen	etwas gegen ... werfen
Tisch · Stuhl · Rucksack · Tasche · ...	Zimmer · Raum · Tür · ...	Tisch · Stuhl · Wand · Bild · Tafel · ...

○ *Er geht um den Tisch.*

◆ *Sie geht durch die Tür.*

□ *Er wirft eine Münze gegen die Tafel. ...*

24 Fokus Sprechen

1 Frau Nolte hängt Bilder an die Wand.

a. Lesen Sie zuerst die Sätze und ergänzen Sie „m“ oder „n“. Arbeiten Sie mit einer Partnerin/einem Partner.

Frau Nolte hängt Bilder a..... die Wand.
Ein Bild hängt schon a..... Nagel.
Sie legt noch einen Nagel neben de..... Hammer.
Ihr Hund mit de..... Namen Max kommt ins Zimmer.
Sie nimmt für ihn eine..... Hamburger aus de..... Kühlschrank.
Auf der Straße gibt es eine..... Unfall.
Zwei Wagen fahren gegen eine..... Baum.
Frau Nolte geht mit Max auf de..... Balkon.
Sie schreibt die Autonummern auf eine..... Notizzettel.

b. Hören Sie die Sätze, kontrollieren Sie Ihr Ergebnis und sprechen Sie nach.

2 Ein Mann legt den Regenschirm neben den Koffer.

a. Hören Sie die Sätze.

39

b. Ergänzen Sie die Buchstaben „e“, „eh“, „ell“, „i“ oder „ie“.

Ein Mann l.......gt den Regenschirm neben den Koffer.
Ein Brief l.......gt vor dem Spiegel.
Ein Mann st.......t im Regen.
Er s.......tzt seinen Hut auf den Kopf.
Ein Kind l.......gt im Bett und liest.
Ein Mädchen l.......gt das Telefonbuch auf den Teppich.
Ein Kellner st.......t einen Teller auf den Tisch.
Eine Katze s.......tzt vor dem Fenster.

c. Variieren Sie gemeinsam jeden Satz Stück für Stück. Tragen Sie die Ergebnisse dann im Kurs vor. Arbeiten Sie in einer kleinen Gruppe.

Ein Mann legt den Regenschirm neben den Koffer.
Eine Frau legt den Regenschirm neben den Koffer.
Eine Frau stellt den Regenschirm neben den Koffer.
Eine Frau stellt den Stuhl neben den Koffer.
Eine Frau stellt den Stuhl auf den Koffer.
Eine Frau stellt den Stuhl auf den Tisch.

3 „Entschuldigung, können Sie mir helfen?"

a. Sehen Sie sich die Zeichnungen an und hören Sie die Gespräche.

Gespräch 1  

3 | 17 — 40

- ⊙ Entschuldigung, können Sie mir helfen? Ich suche ein Hotel.
- ◆ Da kann ich Ihnen das „Hotel am Markt" empfehlen.
- ⊙ Ist es weit bis dorthin?
- ◆ Nein, es ist gleich rechts um die Ecke, das zweite Haus.
- ⊙ Ich danke Ihnen.

Gespräch 2  

3 | 18 — 41

- ⊙ Guten Tag. Wie kann ich Ihnen helfen?
- ◆ Ich habe eine Frage. Welche Sehenswürdigkeiten gibt es hier in der Stadt?
- ⊙ Besuchen Sie auf jeden Fall den Dom und das Dom-Museum.
- ◆ Können Sie mir vielleicht den Weg erklären?
- ⊙ Ja, gerne. Den Dom finden Sie ganz leicht. Es sind nur 50 Meter von hier, immer geradeaus.
- ◆ Danke. Und das Museum?
- ⊙ Da nehmen Sie nach dem Dom die erste Straße links.

b. Spielen Sie die Gespräche mit einem Partner nach.

		Dativ	
Können	Sie	**mir**	helfen?
Kann	ich	**Ihnen**	helfen?

4 Variieren Sie die Gespräche.

Sie können folgende Ausdrücke benutzen:

ein Hotel · ein Campingplatz · eine Jugendherberge · ein Restaurant · ein Café · ...

der Dom · das Museum · das Rathaus · das Schloss · die Burg · ...

- ganz in der Nähe
- nicht weit von hier
- nur 100 Meter von hier
- immer geradeaus
- rechts um die Ecke
- links um die Ecke
- ...

der **erste** Weg	der/die/das	vier**te** ...
die zwei**te** Straße		fünf**te** ...
das **dritte** Haus		zehn**te** ...

5 „Wie komme ich zu …?"

3 | 19

42

a. Hören Sie das Gespräch und lesen Sie still mit.

⊙ Entschuldigung, wie komme ich zum Goetheplatz?

◆ Ganz einfach: Da gehen Sie den Blumenweg geradeaus, am Sportplatz vorbei, bis zur Kreuzung. An der Kreuzung gehen Sie rechts. Noch ein Stück geradeaus. Dann sehen Sie links den Goetheplatz.

⊙ Also, zuerst geradeaus, bis zur Kreuzung, und danach rechts?

◆ Ja, genau.

⊙ Vielen Dank.

◆ Keine Ursache.

b. Spielen Sie das Gespräch mit einer Partnerin / einem Partner nach.

6 Ähnliche Gespräche

a. Schreiben Sie mit einem Partner die Gespräche auf. Sie können folgende Ausdrücke benutzen:

Wie komme ich		zum zur	… ?	geradeaus rechts links	am / an der bis zum / zur	… …	vorbei
Gibt es	hier in der Nähe	einen eine ein	… ?		nach dem / der	…	rechts / links …

	... geradeaus	an ... vorbei	bis zu ...
1. der Goetheplatz	der Blumenweg	der Sportplatz	die Kreuzung
2. die Bushaltestelle	die Schillerstraße	die Arztpraxis	die Telefonzelle
3. das Rathaus	die Hauptstraße	das Hotel	die Ampel
4. der Blumenladen	der Mohnweg	das Reisebüro	die Brücke

◎ die Post ◎ das Museum ◎ die Apotheke ◎ das Computergeschäft ◎ die Touristeninformation ◎
◎ die Kirche ◎ der Kindergarten ◎ die Schule ◎ das Schwimmbad ◎ die Straßenbahnhaltestelle ◎

b. Spielen Sie die Gespräche dann im Kurs vor.

7 „Haben Sie ein Zimmer frei?“

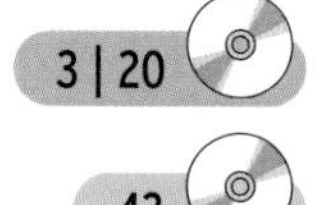

3 | 20

43

a. Hören Sie das Gespräch und lesen Sie mit.

- ⊙ Guten Tag. Was kann ich für Sie tun?
- ◆ Ich suche ein Zimmer. Haben Sie etwas frei?
- ⊙ Ja. Wie lange wollen Sie denn bleiben?
- ◆ Ich würde gern zwei Nächte bleiben.
- ⊙ Brauchen Sie ein Einzelzimmer oder ein Doppelzimmer?
- ◆ Ein Einzelzimmer. Was kostet das?
- ⊙ Eine Übernachtung mit Frühstück kostet 85 Euro.
- ◆ In Ordnung. Dann nehme ich das.

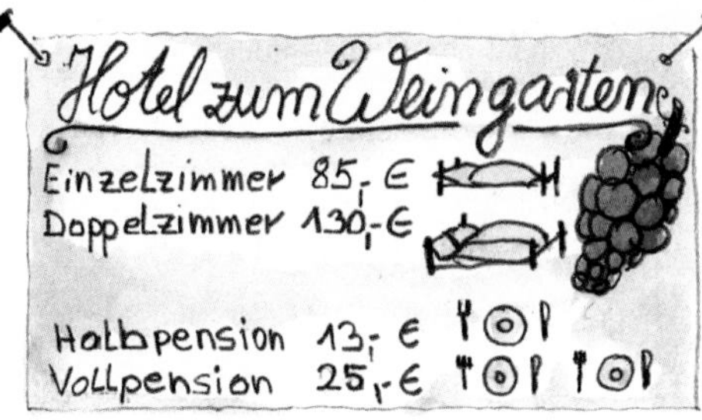

b. Üben Sie das Gespräch mit einem Partner und spielen Sie es im Kurs vor.

8 Erweitern Sie das Gespräch mit einem Partner.

Sie können folgende Ausdrücke benutzen:

- ⊙ *Kann man hier auch essen?*
- ◆ *Ja, wir haben Halbpension und ...*
- ⊙ *Und was kostet ...?*
- ◆ *Mit Halbpension kostet das Zimmer 98 Euro, mit Vollpension ...*

Ich **möchte** gern zwei Nächte **bleiben**.
Ich **würde** gern zwei Nächte **bleiben**.

⊙ *Kann man hier/bei Ihnen ...?*
Ich würde hier gern ...

◆ *Gibt es hier/bei Ihnen/in der Nähe ...?*

◎ bar bezahlen	◎ Tennis spielen
◎ Konzertkarten kaufen	◎ Ausflüge machen
◎ wandern	◎ Rad fahren
◎ baden	◎ ...

◎ ein Restaurant	◎ eine Fahrradvermietung
◎ Konzerte	◎ einen Internet-Anschluss
◎ einen Wanderweg	◎ ein Café
◎ ein Schwimmbad	◎ ...
◎ einen Tennisplatz	

25 Fokus Schreiben

1 Hören Sie zu und schreiben Sie. 3 | 21

.... Schneider .... Aber ....

.... Tisch. .... Regal ....

.... Schrank. .... Kinderzimmer ....

Herr .... Fernseher.

2 Sehen Sie sich die Internet-Seite der Stadt Luzern an.

Schlagen Sie unbekannte Wörter im Wörterbuch nach. Arbeiten Sie in kleinen Gruppen.

3 Was möchten Sie über Luzern wissen?

Formulieren Sie zuerst Fragen in einer kleinen Gruppe. Vergleichen Sie dann im Kurs.

Wo liegt …?
Wie kommt man nach / zu …?
Wo ist …?
Wie groß …?

Welche Sehenswürdigkeiten …?
Wo kann man einkaufen / übernachten / …?
Wie weit ist es von … bis …?
Wie viele Einwohner …?

Gibt es …?
Kann man …?
…

4 Informationen aus dem Internet

a. Was passt? Diskutieren Sie im Kurs.

Welchen Link klicken Sie an? Sie möchten …

1. Bilder von Luzern ansehen: *Bilddatenbank*
2. ein Fahrrad oder ein Auto mieten: ……………
3. Informationen über die Region: ……………
4. die Internet-Seite drucken: ……………
5. mit dem Zug nach Luzern fahren: ……………
6. eine Straße in Luzern suchen: ……………
7. Prospekte anfordern: ……………
8. ein Konzert oder ein Theater besuchen: ……………
9. eine E-Mail an die Touristeninformation schreiben: ……………

**b. Haben Sie einen Internet-Anschluss? Dann besuchen Sie die Seite www.luzern.org.
Welche Informationen bekommen Sie? Arbeiten Sie in kleinen Gruppen. Berichten Sie im Kurs.**

5 Schreiben Sie einen Brief oder eine E-Mail an die Touristeninformation.

Sie möchten im Juli nach Luzern kommen. Bitten Sie um Informationen über Sehenswürdigkeiten und Veranstaltungen. Man soll Ihnen auch Prospekte und Hoteladressen schicken.

Arbeiten Sie mit einer Partnerin / einem Partner. Vergleichen Sie dann Ihre Texte im Kurs.

Neue E-Mail

Senden | Anhang | Adressen | Schriften | Als Entwurf sichern

An: luzern@luzern.org
Kopie:
Betreff: Bitte um Informationen

Sehr geehrte Damen und Herren,

mein Name ist …
Ich möchte im Juli nach … Bitte schicken Sie mir … Können Sie mir auch … schicken? Ich brauche auch …
Vielen Dank.

Mit freundlichen Grüßen
…

6 Eine Einladung

a. Lesen Sie zuerst die Einladungskarte und suchen Sie das Clubhaus auf dem Plan.

Einladung
zu meiner Geburtstagsfeier

Wann? *Sonntag, 22. August ab 18.30 Uhr*
Wo? *Im Clubhaus „Waldfreunde“, Sennestadt*

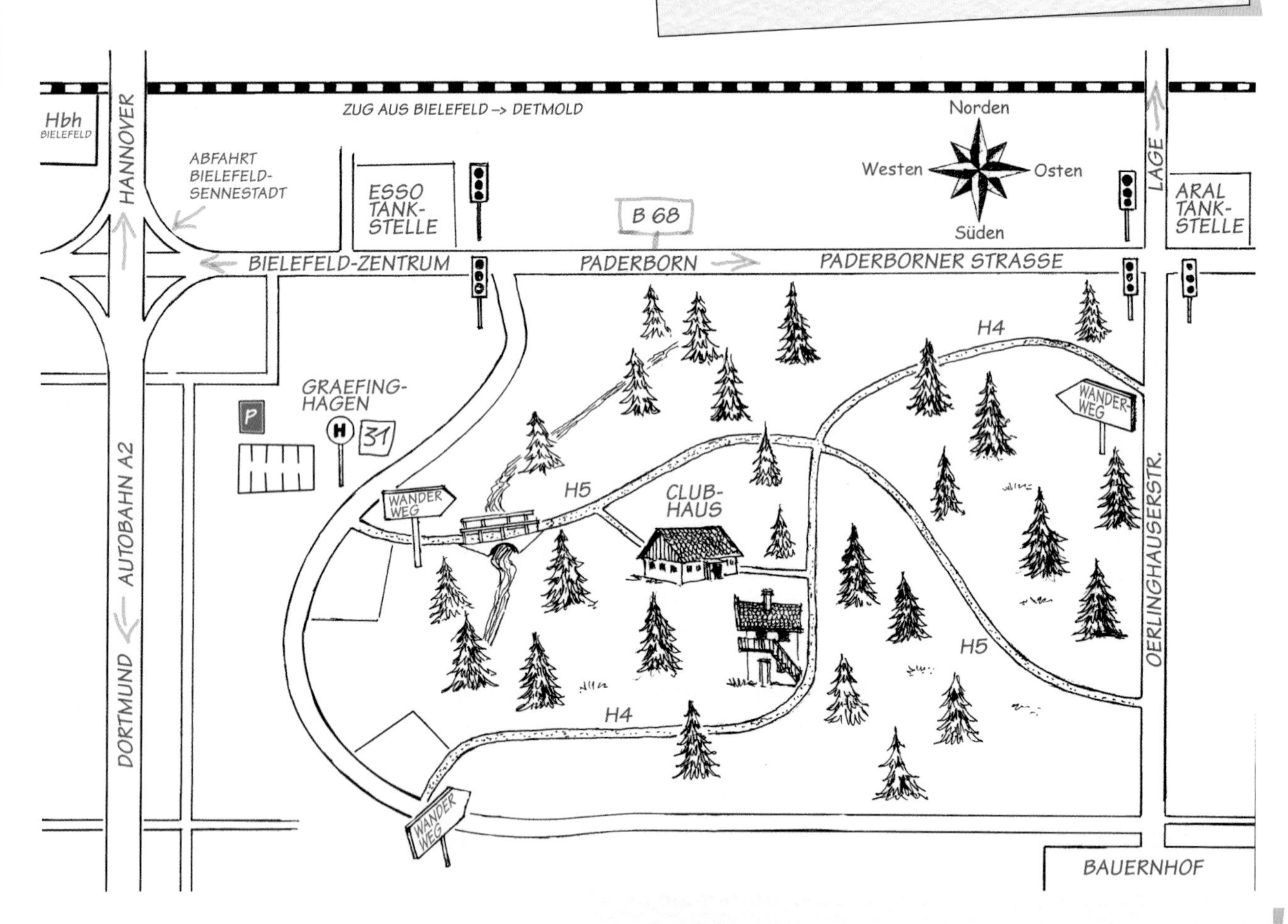

b. Lesen Sie jetzt den Einladungstext und markieren Sie den Weg für Rita und Jörg auf dem Plan. Arbeiten Sie mit einem Partner.

Liebe Rita, lieber Jörg,

ich möchte meinen Geburtstag diesmal im Wald feiern. Hoffentlich könnt ihr kommen! Hier ist eine Wegbeschreibung zum Clubhaus:
Ihr nehmt die Autobahn-Abfahrt Bielefeld-Sennestadt und biegt links ab auf die Bundesstraße 68 in Richtung Paderborn. Dann fahrt ihr ungefähr einen Kilometer geradeaus. An der Ampel biegt ihr rechts ab und fahrt weiter bis zur Bushaltestelle. Rechts hinter der Bushaltestelle ist ein Parkplatz. Da könnt ihr euer Auto abstellen; zum Clubhaus muss man zu Fuß gehen. Ihr geht den Wanderweg H5 durch den Wald bis zu einer Brücke. Hinter der Brücke biegt ihr rechts ab und kommt in ein paar Minuten am Clubhaus an.

Viele Grüße
Euer Eberhard

c. Aus welcher Richtung kommen Rita und Jörg?

- Dortmund
- Hannover
- Paderborn
- Detmold

7 Schreiben Sie die Wegbeschreibung für Carlo zu Ende.

Arbeiten Sie mit einem Partner. Vergleichen Sie dann Ihre Lösungen im Kurs.

Lieber Carlo,

ich möchte meinen Geburtstag diesmal im Wald feiern. Hoffentlich kannst du kommen! Hier ist eine Wegbeschreibung zum Clubhaus:
Du fährst mit dem Zug bis Bielefeld-Hauptbahnhof. Dann nimmst du den Bus Linie 31 in Richtung Oerlinghausen. An der Haltestelle „Gräfinghagen" steigst du aus. Dann ...

Viele Grüße
Dein Eberhard

- hinter der Brücke
- durch den Wald
- am Clubhaus ankommen
- zu Fuß zum Clubhaus
- rechts abbiegen
- den Wanderweg H5
- in ein paar Minuten
- bis zu einer Brücke

8 Beschreiben Sie den Weg zum Clubhaus „Waldfreunde" für ...

Name	kommt / kommen ...	aus Richtung ...
Hannes	mit dem Auto	Bielefeld-Zentrum
Wilma und Fred	mit dem Motorrad	Dortmund
Sylvia	mit dem Auto	Paderborn
Herr und Frau Gessmann	mit dem Zug	Detmold
Eva	mit dem Fahrrad	Lage

Arbeiten Sie in kleinen Gruppen. Sie können die folgenden Ausdrücke verwenden:

an	dem	Bauernhof	rechts	nehmen
vor		Schild	links	fahren
hinter	der	Ampel	geradeaus	weiterfahren
bis zu		Abfahrt	durch den Wald	gehen
		Brücke	über die Bundesstraße	weitergehen
		Haltestelle		abbiegen
		Kreuzung		aussteigen
		Kurve		ankommen
		Tankstelle		

Lieber Hannes,
...
du fährst ...
...

Liebe Frau Gessmann, lieber Herr Gessmann,
...
Sie fahren ...
...

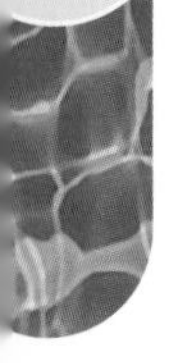

Postbank
EDEKA
Bild
Marlboro
Rama
ARIEL

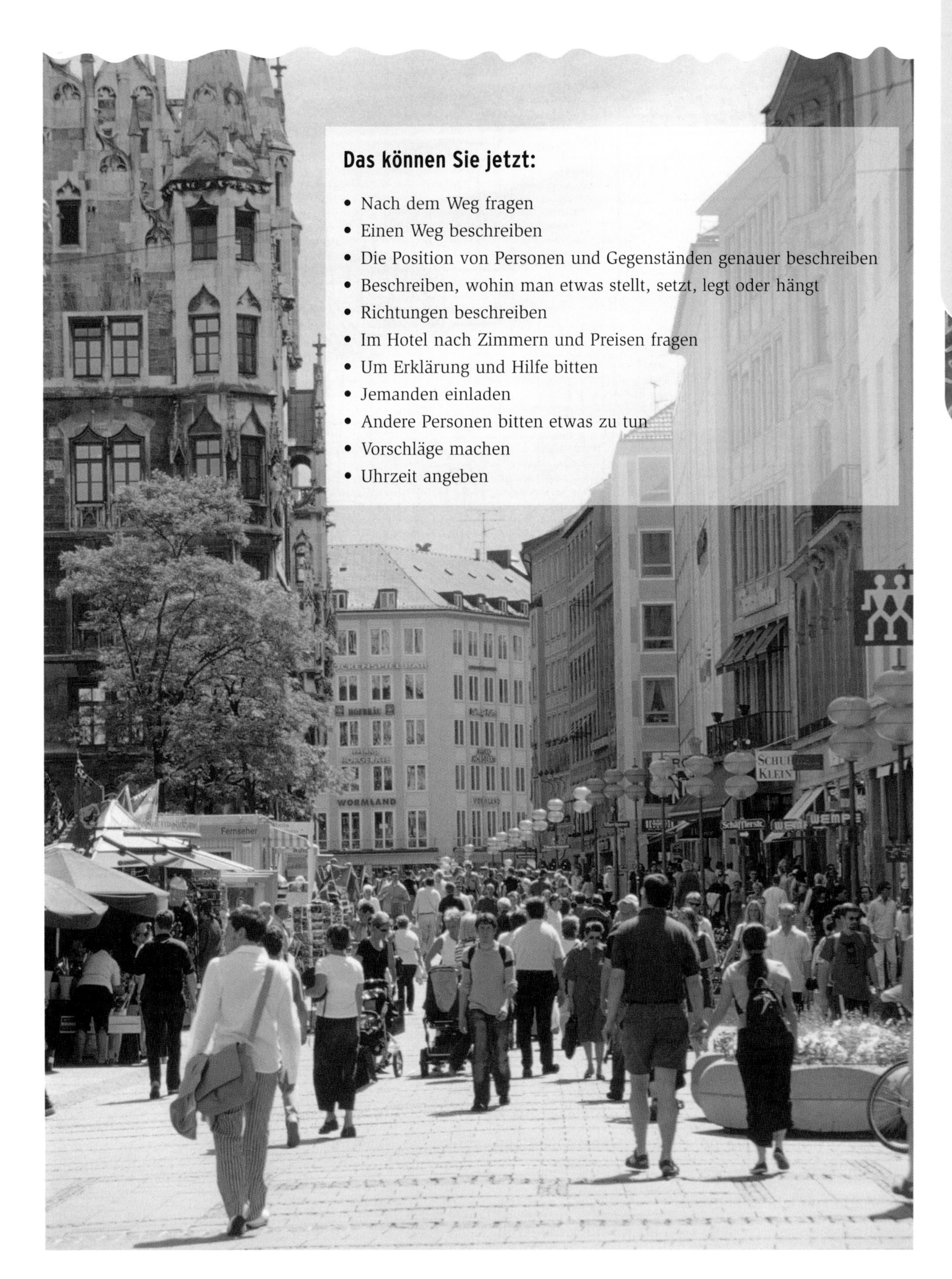

Das können Sie jetzt:

- Nach dem Weg fragen
- Einen Weg beschreiben
- Die Position von Personen und Gegenständen genauer beschreiben
- Beschreiben, wohin man etwas stellt, setzt, legt oder hängt
- Richtungen beschreiben
- Im Hotel nach Zimmern und Preisen fragen
- Um Erklärung und Hilfe bitten
- Jemanden einladen
- Andere Personen bitten etwas zu tun
- Vorschläge machen
- Uhrzeit angeben

Rechts, links, geradeaus

Bitte entschuldigen Sie. Ich habe Kopfschmerzen. Gibt es hier eine Apotheke?

Ja, es gibt eine Apotheke im Bahnhof. Das ist nicht weit.

Und wie komme ich dahin?

Das ist ganz einfach. Gehen Sie geradeaus bis zur Kirche. Dann rechts und nach der Ampel die zweite Straße links. Da ist eine Apotheke im Bahnhof.

Vielen Dank. Also, ich gehe jetzt geradeaus bis zur Ampel und dann rechts bis zum ...

Nein, geradeaus bis zur Kirche und dann rechts bis zur Ampel.

Ach ja. Und dann ist die Apotheke links neben dem Bahnhof?

Nein, die Apotheke ist im Bahnhof. Aber Sie müssen zuerst bis zur Ampel gehen.

Ach ja, und dann gleich rechts.

Nein, dann die zweite Straße links bis zum Bahnhof. Da ist die Apotheke.

Natürlich, bitte entschuldigen Sie. Meine Kopfschmerzen ... Also ich gehe jetzt zur Ampel neben der Kirche und dann ...

Nein, nein, nein. Sie gehen zuerst geradeaus bis zur Kirche. Dann rechts und nach ...

Natürlich, natürlich. Tut mir leid. Dann nach dem Bahnhof bis zur Ampel ...

Nein. Bitte kommen Sie mit!

Wohin soll ich mitkommen?

Zur Apotheke. Ich habe jetzt auch Kopfschmerzen.

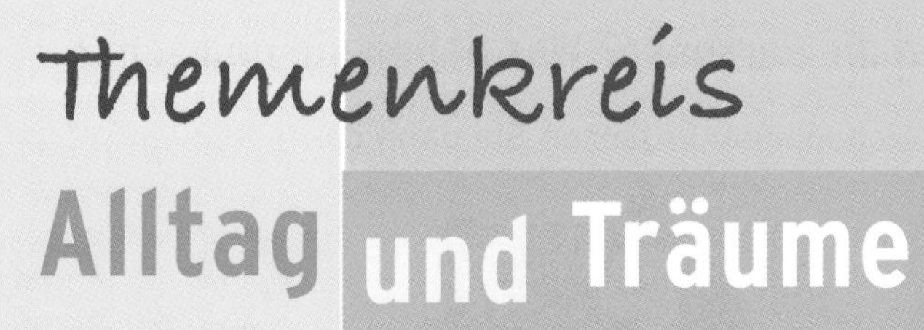

Themenkreis
Alltag und Träume

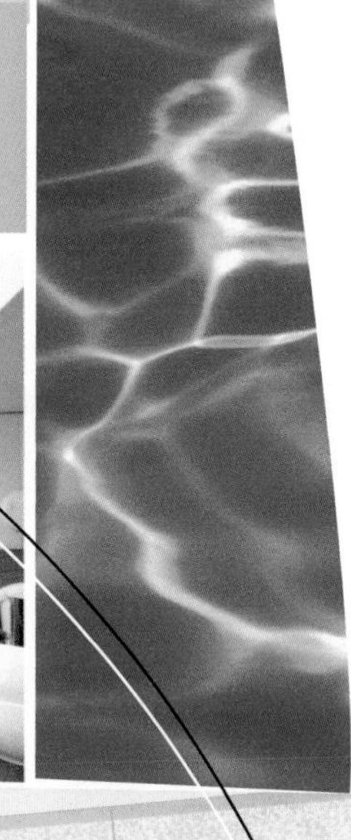

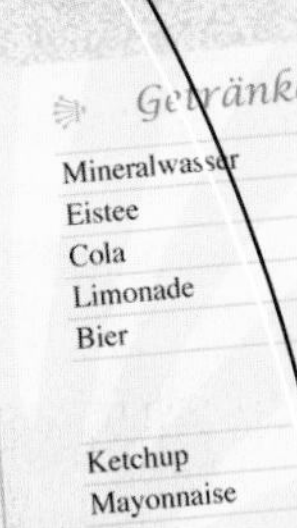

26 Fokus Strukturen

1 Was machen die Personen? Was haben sie gemacht?

Betrachten Sie die Zeichnungen. Ergänzen Sie dann die fehlenden Wörter.

a. *Er duscht.* ....

b. *Er hat geduscht.* ....

c. *Er* ....

d. *Er hat gebadet.* ....

e. *Er* ....

f. *Er hat geputzt.* ....

g. *Sie spült.* ....

h. *Sie* ....

i. *Er kocht.* ....

j. *Er* ....

k. *Sie räumt auf.* ....

l. *Sie* ....

m. *Sie* ....

n. *Sie* ....

o. *Sie* ....

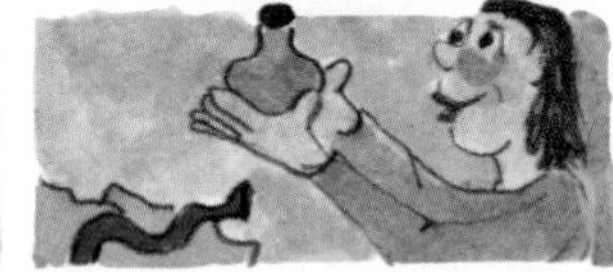

p. *Sie* ....

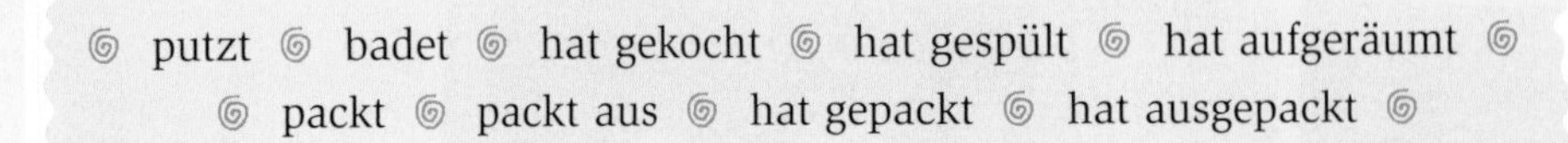

putzt ◎ badet ◎ hat gekocht ◎ hat gespült ◎ hat aufgeräumt ◎ packt ◎ packt aus ◎ hat gepackt ◎ hat ausgepackt

2 „Hast du vielleicht ...?"

Spielen Sie pantomimisch eine Tätigkeit vor.
Danach raten die anderen.

- ⊙ *Hast du vielleicht gekocht?*
- ◆ *Ja, das stimmt. / Nein, das stimmt nicht.*
- ⊙ *Vielleicht hast du .... .*

◎ kochen ◎ duschen ◎ spülen ◎ baden ◎ putzen ◎ aufräumen ◎ packen ◎ auspacken ◎

	Perfekt
koch en **ge** koch **t**	Ich **habe ge**kocht. Du **hast ge**kocht. Er/sie **hat ge**kocht. Wir **haben ge**kocht. Ihr **habt ge**kocht. Sie **haben ge**kocht.
aufräumen auf**ge**räumt	Ich **habe** auf**ge**räumt. ...
auspacken aus**ge**packt	Ich **habe** aus**ge**packt. ...

3 Schauen Sie die Zeichnungen von Übung 1 noch einmal an und ergänzen Sie.

Zeichnung f: Er hat *das Fenster* geputzt.
Zeichnung h: Sie hat .... gespült.
Zeichnung j: Er hat .... gekocht.
Zeichnung l: Sie hat .... aufgeräumt.
Zeichnung n: Sie hat .... gepackt.
Zeichnung p: Sie hat .... ausgepackt.

~~das Fenster~~ ◎ den Koffer ◎ Spaghetti ◎ das Geschenk ◎ das Kinderzimmer ◎ das Geschirr

Er **hat**		**geputzt**.
Er **hat**	das Fenster	**geputzt**.

4 Was haben die Personen gemacht? 3 | 23-25

Hören Sie die Telefongespräche. Was ist richtig? ✗

a.
1. Bernd hat gestern Nachmittag im Garten gearbeitet.
2. Seine Eltern haben mitgearbeitet.
3. Bernd hat nach dem Abendessen weitergearbeitet.

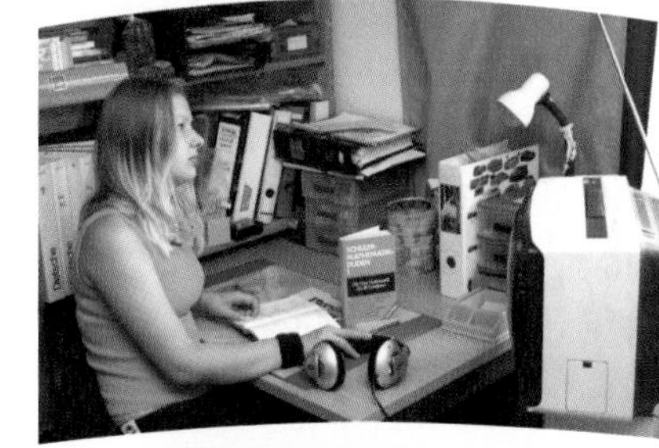

b.
1. Eva hat ins zweite Fernsehprogramm geschaltet.
2. Eva hat ihren MP-3-Player ausgeschaltet.
2. Eva hat das Radio angeschaltet.

c.
1. Die Freundin hat es vormittags schon am Telefon versucht, aber Anna hat nicht geantwortet.
2. Anna hat im Arbeitszimmer eine Rechnung gesucht.
3. Anna hat im Wohnzimmer weitergesucht.
4. Die Freundin hat Anna am Vormittag besucht.

Infinitiv:	**Präsens:** Er/sie ...	**Perfekt:** Er/sie hat ...
arbeiten	arbeit**et**	**ge**arbeit**et**
mitarbeiten	arbeit**et** mit	mit**ge**arbeit**et**
schalten	schalt**et**	**ge**schalt**et**
ausschalten	schalt**et** aus	aus**ge**schalt**et**
suchen	sucht	**ge**such**t**
weitersuchen	sucht weiter	weiter**ge**such**t**
besuchen	besucht	**besucht**
versuchen	versucht	**versucht**

5 Betrachten Sie die Zeichnungen.

Was passt? Überlegen Sie mit einem Partner.

a. 5 Er hat Kakao getrunken.
b. Er hat einen Brief geschrieben.
c. Sie hat die Wand angestrichen.
d. Sie hat geschossen.
e. Sie hat die Tür abgeschlossen.
f. Sie hat den Ball geworfen.
g. Er hat die Zeitung gelesen.
h. Er hat den Wagen gewaschen.
i. Er hat ein Loch gegraben.

6 Wie wechselt der Vokal?

Ergänzen Sie die Formen und unterstreichen Sie.

a.	*trinken*	*trinkt*	getrunken
b.			geschrieben
c.	*anstreichen*	*streicht ... an*	angestrichen
d.			geschossen
e.	*abschließen*	*schließt ... ab*	abgeschlossen
f.			geworfen
g.			gelesen
h.			gewaschen
i.	*graben*	*gräbt*	gegraben

Infinitiv:	Präsens: Er/sie ...	Perfekt: Er/sie hat ...
trinken	trinkt	**getrunken**
graben	gräbt	**gegraben**
lesen	liest	**gelesen**
werfen	wirft	**geworfen**
abschließen	schließt ab	ab**geschlossen**
anstreichen	streicht an	an**gestrichen**
schreiben	schreibt	**geschrieben**

7 Ein Frage- und Antwort-Spiel

Jeder notiert zuerst einige Fragen. Dann stellt jemand seine Frage im Kurs, eine Nachbarin/ein Nachbar antwortet und fragt weiter.

⊙ *Wäschst du den Apfel?*
◆ *Den Apfel habe ich schon gewaschen.*
◆ *Liest du ... ?*
⊙ ...

Ich	habe	**den Apfel**	gewaschen.
Den Apfel	habe	**ich**	gewaschen.

Apfel ◎ Tomaten ◎ Pilze ◎ Karotten ◎ Kartoffeln	waschen
Brief ◎ Buch ◎ Fax ◎ Einladung ◎ E-Mail	lesen / schreiben
Schrank ◎ Tür ◎ Haus ◎ Fahrrad	anstreichen / abschließen
Tee ◎ Kakao ◎ Saft ◎ Mineralwasser ◎ ...	trinken

8 Was ist passiert?

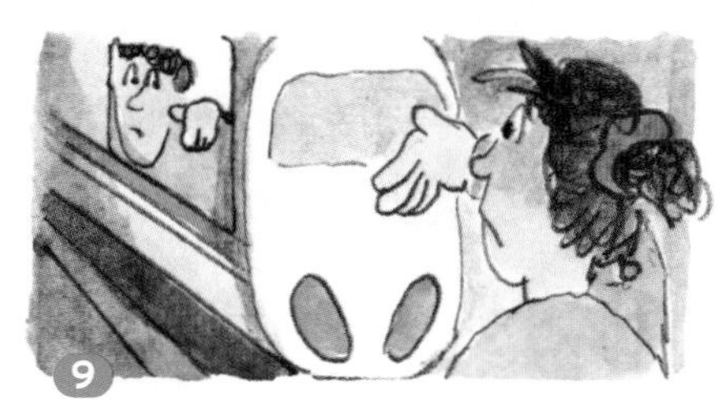

Ergänzen Sie die Nummern.

a. *3* Er ist geschwommen.
b. ___ Sie ist geflogen.
c. ___ Er ist gesprungen.
d. ___ Sie ist gelaufen.
e. ___ Sie ist zu spät gekommen.
f. ___ Er ist abgefahren.
g. ___ Er ist aufgewacht.
h. ___ Er ist gewandert.
i. ___ Sie ist aufgestanden.

Infinitiv:	**Präsens:**	**Perfekt:**
	Er/sie ...	Er/sie **ist** ...
laufen	läuft	**ge**lauf**en**
springen	springt	**ge**spr**u**ng**en**
abfahren	fährt ab	ab**ge**fahr**en**

27 Fokus Lesen

1 Leben auf dem Bauernhof

Das sind Herr und Frau Gerster. Wie sieht der Alltag auf ihrem Bauernhof aus? Was glauben Sie?

a. Lesen Sie die Fragen und überlegen Sie Antworten mit einer Partnerin / einem Partner.

1. Wann stehen die Leute auf?
2. Wann frühstücken sie?
3. Wann essen sie zu Mittag?
4. Wie lange machen sie Mittagspause?
5. Wann essen sie zu Abend?
6. Wann haben sie Feierabend?
7. Wie viele Stunden arbeiten sie sonntags?
8. Wie lange können sie Urlaub machen?
9. Was produzieren sie?

Wann?

frühmorgens um vier · um sechs Uhr morgens · morgens um 8 · um 9 Uhr vormittags · um 12 Uhr · um 3 Uhr nachmittags · um 7 Uhr abends · um 20 Uhr · sehr spät am Abend · um 1 Uhr nachts · um Mitternacht · nach dem Mittagessen · nach dem Abendessen · ...

Wie lange? / Wie viele Stunden?

eine Stunde · zwei Stunden · 15 Minuten · eine Viertelstunde · 14 Stunden, wie immer · nur 4 Stunden am Nachmittag · nur 6 Stunden am Vormittag · zwei Tage · ein Wochenende · eine Woche · ...

Was?

Fleisch · Milch · Käse · Joghurt · Kartoffeln · Gemüse · Obst · Saft · ...

b. Vergleichen Sie Ihre Antworten im Kurs und diskutieren Sie.

⊙ *Sie stehen morgens um 8 Uhr auf.*
◆ *Das glaube ich nicht. Sie müssen bestimmt schon um ... aufstehen.*
▶ *Vielleicht müssen sie ...*
⊙ ...

2 Wer übernimmt welche Arbeiten auf dem Bauernhof?

a. Lesen Sie die Liste der Tätigkeiten in Teil b. Überlegen Sie dann in kleinen Gruppen: Was macht wohl der Mann, was die Frau, was machen sie gemeinsam?

○ *Ich denke, die Frau putzt das Haus.* ◆ *Ich glaube, der Mann grillt am Wochenende. …*

b. Interview mit einer Bäuerin – Teil 1 3 | 26
Hören Sie jetzt den Text. Wer macht was? Kreuzen Sie an. X

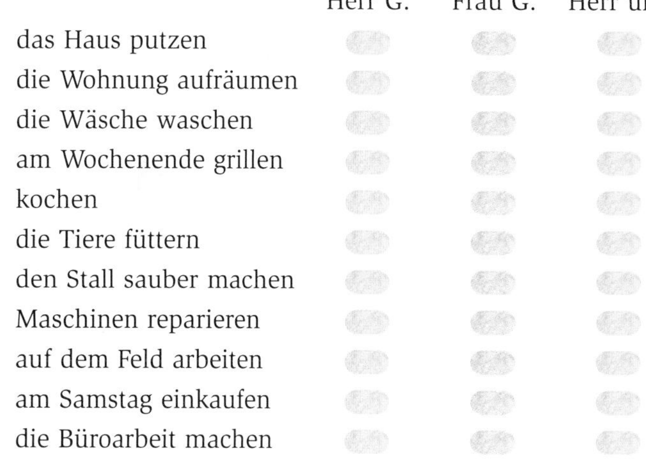

	Herr G.	Frau G.	Herr und Frau G.
das Haus putzen			
die Wohnung aufräumen			
die Wäsche waschen			
am Wochenende grillen			
kochen			
die Tiere füttern			
den Stall sauber machen			
Maschinen reparieren			
auf dem Feld arbeiten			
am Samstag einkaufen			
die Büroarbeit machen			

c. Vergleichen Sie Ihre Vermutungen von a. mit den Lösungen.

d. Interview Teil 2 3 | 27
Hören Sie den Text. Was ist richtig? X

1. Familie Gerster hatte im Mai ein paar Tage Urlaub.
2. Frau Gerster hat im Mai leider nur einen Tag Urlaub gehabt.
3. Herr und Frau Gerster waren zu Besuch bei ihrer Schwester.
4. Die Schwester von Frau Gerster ist zu Besuch auf dem Bauernhof gewesen.
5. Herr Gerster ist am Vormittag in die Stadt gefahren. Er hat einen Termin beim Arzt gehabt.
6. Herr Gerster hatte gestern Nachmittag einen Arzttermin.

Perfekt:	Präteritum:
Er/sie **hat** Urlaub **gehabt**.	Er/sie **hatte** Urlaub.
Sie **haben** Urlaub **gehabt**.	Sie **hatten** Urlaub.
Er/sie **ist** in Urlaub **gewesen**.	Er/sie **war** in Urlaub.
Sie **sind** in Urlaub **gewesen**.	Sie **waren** in Urlaub.

3 Wie kann eine Familie die Hausarbeit teilen?

Was können der Mann, die Frau, die Kinder tun? Wann können sie es tun? Diskutieren Sie.

◎ spülen ◎ einkaufen ◎ Getränke kaufen ◎ putzen ◎ das Kinderzimmer aufräumen ◎ waschen ◎ die Wäsche in den Schrank räumen ◎ den Wagen waschen ◎ werktags kochen ◎ sonntags kochen ◎ in der Küche helfen ◎ … ◎

4 Lesen Sie die Einleitung (Zeile 1 – 5) von dem Text rechts.

Was ist richtig? ✗

a. Die Renkens können oft reisen.
b. Sie können keine Reise machen.

c. Am Wochenende müssen sie arbeiten.
d. Sie müssen am Wochenende nicht arbeiten.

e. Sie können morgens lange schlafen.
f. Sie müssen jeden Morgen früh aufstehen.

g. Jeden Tag müssen sie ihre Arbeit machen.
h. Sie müssen nicht jeden Tag arbeiten.

die Renkens = Familie Renken

5 Lesen Sie nun die Textabschnitte 1 – 5.

Was sagt der Text? Lösen Sie die Aufgaben mit einem Partner. ✗

Abschnitt 1:
a. Die Journalistin Gerda Melzer hat Familie Renken besucht.
b. Sie hat mit den Renkens beim Frühstück gesessen.
c. Der Arbeitstag auf dem Bauernhof war lang, wie gewöhnlich.

Abschnitt 2:
d. Sonntags stehen die Kühe etwas später auf.
e. Das Ehepaar Renken ist frühmorgens um Viertel nach vier aufgestanden.
f. Früher hatten die Renkens keine Melkmaschine und haben von Hand gemolken.

Abschnitt 3:
g. Die Eltern helfen immer noch mit.

Abschnitt 4:
h. Enno, der Sohn, ist Rechtsanwalt geworden.

Abschnitt 5:
i. Um halb acht hat Frau Renken die Mädchen zum Bus gebracht.
j. Sie haben wie gewöhnlich zusammen gefrühstückt.
k. Nach dem Frühstück hat sie die Hühner gefüttert und die Katze gewaschen.

6 Abschnitte 6 – 9: Wie hat Herr Renken im Interview geantwortet?

Lesen Sie zuerst die Fragen. Markieren Sie dann im Text die passenden Stellen.

a. Wer repariert die Maschinen? 4
b. Haben Sie einen Mittagsschlaf gemacht?
c. Was ist im Hühnerstall passiert?
d. Haben Sie die Tiere wieder gefunden?
e. Holen Sie die Kühe allein von der Weide?
f. Was macht Ihre Frau abends?
g. Wie machen Sie die Büroarbeit?
h. Sehen Sie abends noch fern?
i. Was kommt heute im Fernsehen?

1. Ja, aber dabei schlafe ich oft ein.
2. Die mache ich am Computer.
3. Fußball, meine Lieblingsmannschaft spielt.
4. Die Reparaturen mache ich, am Vormittag.
5. Ja, alle waren zum Glück noch da.
6. Die Hühner sind weggelaufen.
7. Ja, heute Mittag eine halbe Stunde.
8. Nein, meine Töchter helfen mir dabei.
9. Am Abend näht oder bügelt sie.

7 Überlegen Sie weitere Fragen an die Renkens und spielen Sie Interviews.

⊙ *Wann sind Sie heute Morgen aufgestanden?* ◆ *Um Viertel nach ...*
⊙ ...

7.15 Uhr / 19.15 Uhr = Viertel nach sieben
7.30 Uhr / 19.30 Uhr = halb acht
7.45 Uhr / 19.45 Uhr = Viertel vor acht

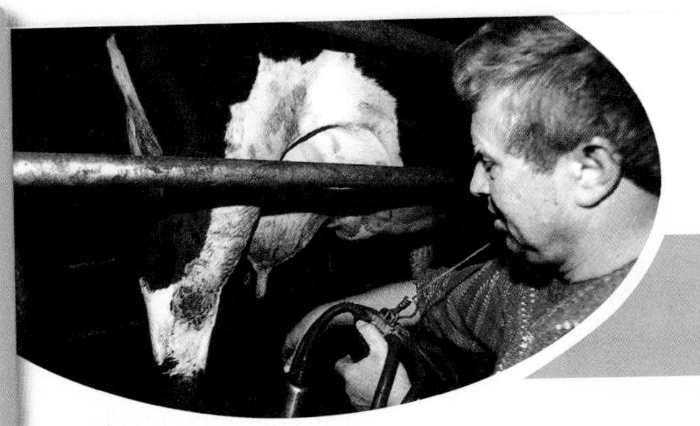

Mein Alltag

Eine Serie von Gerda Melzer

Wer soll denn die Arbeit machen?

Morgens lange schlafen, ein Wochenende mal nicht arbeiten, eine Reise machen: Das können Herr und Frau Renken nicht. Wer soll denn dann die Arbeit machen?

Ich bin zu Gast auf dem Bauernhof, bei Familie Renken in der Nähe von Oldenburg. Es ist halb acht abends, wir sitzen um den Tisch – Feierabend. „Wie war denn der Arbeitstag?", frage ich. „Lang, wie gewöhnlich", antwortet Gerd Renken, der Bauer. Das Leben auf dem Bauernhof ist heute nicht mehr so hart wie vor dreißig Jahren. Doch immer noch beginnt der Tag früh für einen Landwirt, auch samstags und sonntags.

„Da schlafen die Kühe nicht extra bis acht", weiß Herr Renken. „Heute Morgen um Viertel nach vier, da sind meine Frau und ich aufgestanden. Wir haben eine Tasse Kaffee getrunken und sind dann in den Stall gegangen." Täglich müssen die Renkens 56 Kühe melken. Sie schaffen das jetzt in einer Stunde, mit der Melkmaschine. Früher hatten sie keine und die Arbeit war sehr anstrengend.

„Da haben wir noch mit der Hand gemolken", sagt Herr Renken. „Das hat Stunden gedauert, aber meine Eltern haben noch geholfen. Mein Vater ist aber vor vier Jahren gestorben und meine Mutter ist jetzt zu alt."

Herr und Frau Renken haben drei Kinder: Wibke (12) und Imke (15) gehen noch zur Schule. Enno, der Sohn, ist 22 und studiert Jura in Münster. Er will Rechtsanwalt werden.

„Um Viertel vor sieben", erzählt Frau Renken, „hab' ich heute die Mädchen geweckt, dann die Kühe auf die Weide gebracht. Um sieben Uhr morgens haben wir wie immer zusammen gefrühstückt. Die Mädchen sind dann um halb acht zur Bushaltestelle gegangen. Am Vormittag hab' ich die Hühner und die Schweine gefüttert, die Wohnung geputzt und aufgeräumt. Und dann die Wäsche: Ich hab' die Waschmaschine gefüllt. Da hab' ich plötzlich „miau" gehört. Zum Glück war der Schalter noch auf „Aus". Ich hab' die Katze natürlich sofort aus der Maschine genommen."

Herr Renken macht nach dem Frühstück den Stall sauber und arbeitet dann draußen. „Nach der Stallarbeit repariere ich die Maschinen. Immer muss man da was in Ordnung bringen, und dann kommt die Arbeit auf dem Feld."

Um zwei sind die Mädchen aus der Schule zurück, die Renkens essen zu Mittag. Nach dem Mittagessen schläft Herr Renken normalerweise eine Stunde.

„Heute hab' ich nur eine halbe Stunde geschlafen. Wir hatten viel zu tun. Meine Frau hat am Nachmittag im Garten gearbeitet, und ich war draußen auf dem Feld. Um Vier haben wir Tee getrunken. Danach bin ich kurz im Hühnerstall gewesen. Aber von unseren zehn Hühnern war keins mehr da. Im Zaun war ein Loch. Wir haben sie sofort gesucht und, zum Glück, alle wieder gefunden. Zehn für uns, keins für den Fuchs! Um halb sechs habe ich dann mit den Mädchen die Kühe von der Weide geholt."

Abends melken die Renkens wieder und gegen sieben sind sie meistens fertig. Frau Renken macht das Abendbrot. „Für heute ist Feierabend", sagt ihr Mann und lächelt. „Oft mache ich abends aber noch Büroarbeit am Computer. Und meine Frau bügelt oder näht. Später sehen wir fern, aber dabei schlafe ich fast immer im Sessel ein." „Heute bestimmt nicht", meint Frau Renken. „Heute kommt Fußball. Deine Lieblingsmannschaft spielt." – „Erst mal sehen", sagt der Bauer. „Vielleicht spielt Bayern München gut – dann bleib' ich bestimmt wach bis zum Ende."

28 Fokus Hören

1 „Guten Morgen, Liebling!"

a. Lesen Sie zuerst die Aufgabe und hören Sie dann das Gespräch.

1. Er war in einem Flugzeug und
   - hat geschlafen.
   - die Stewardess hat ein Glas Wasser gebracht.
   - hat mit der Stewardess gesprochen.

2. Dann ist er aufgestanden und
   - hat die Passagiere geweckt.
   - ist zur Toilette gegangen.
   - hat die Tür aufgemacht.

3. Danach ist er ausgestiegen und
   - nach Hause geflogen.
   - neben dem Flugzeug geflogen.
   - hat mit den Vögeln gesprochen.

4. Der Traum war
   - sehr schön.
   - unheimlich.
   - langweilig.

b. Lösen Sie die Aufgabe und erzählen Sie den Traum im Kurs nach.

2 Ein Traum

a. Was sehen Sie auf den Zeichnungen? Besprechen Sie die Bilder gemeinsam im Kurs.

⊙ *Da liegt ein Mann auf einer Wiese. Ich glaube, er fotografiert eine Blume.*
◆ *Auf der Wiese steht …*

b. **Hören Sie die Traumgeschichte.**
Bringen Sie dann die Sätze in die richtige Reihenfolge.
Erzählen Sie die Geschichte mit Ihren Worten nach.

- Da bin ich aufgewacht.
- Plötzlich war die Waschmaschine ein Zug.
- Ein Luftballon ist geplatzt.
- 1 Ich war allein auf einer Wiese und habe die Blumen fotografiert.
- Ein Gorilla ist gekommen und hat Luftballons verkauft.
- Sie hat gesprochen, aber ich habe nichts verstanden.
- Ich bin eingestiegen und der Zug ist abgefahren.
- Ich habe 100 Euro bezahlt und drei Luftballons bekommen.
- Dann habe ich eine Waschmaschine gefunden.

3 Noch ein Traum

Betrachten Sie die Zeichnungen und erfinden Sie dazu im Kurs eine Geschichte.

○ *Zuerst ist die Frau mit ihrem Fahrrad durch die Wüste gefahren. Dann ist das Fahrrad ...*

- zuerst mit dem Fahrrad durch die Wüste fahren
- das Fahrrad: plötzlich wegfliegen
- dann eine Telefonzelle sehen
- ein Kamel: dort telefonieren
- die Telefonzelle: auf einmal zerbrechen
- da aufwachen

Die Frau	ist	**zuerst**	... gefahren.
Zuerst	ist	**die Frau**	... gefahren.

4 Ihr Traum

Erfinden Sie gemeinsam mit einem Partner eine kleine Traumgeschichte und tragen Sie sie im Kurs vor.

○ *Ich habe ... / Ich bin ... Plötzlich ... Dann ...*

 5 „Guten Morgen, Hasso!"

a. Warum ist der Hund im Bett? Was meinen Sie?

⊙ *Der Hund ist bestimmt müde und will schlafen.*
◆ *Das glaube ich nicht. Vielleicht will er spielen. ...*

b. Lesen Sie die Texte. Was glauben Sie, was ist richtig?

A „Heute Morgen hat um sechs Uhr der Wecker geklingelt. Dann ist der Hund ins Schlafzimmer gekommen und in unser Bett gesprungen. Er war noch müde und ich auch. Mein Mann hatte Hunger. Er ist aufgestanden und in die Küche gegangen. Dort hat er Brötchen gesucht, aber es waren keine da. Deshalb ist unsere Tochter zum Bäcker gegangen und hat welche gekauft. Dann haben wir alle zusammen gefrühstückt.

B „Heute Morgen um sieben Uhr ist der Hund ins Schlafzimmer gekommen und in unser Bett gesprungen. Unsere Tochter war auch da. Sie hatte Hunger. Auf einmal war Hasso weg. Ich war noch müde und bin im Bett geblieben. Mein Mann und unsere Tochter sind in die Küche gegangen und haben das Frühstück gemacht. Dann hat mein Mann die Brötchen gesucht. Aber Hasso war vorher in der Küche und hat sie gefressen."

C „Heute Morgen um sieben Uhr ist unsere Tochter ins Schlafzimmer gekommen. Sie hatte Hunger, aber mein Mann und ich waren noch müde. Wir sind im Bett geblieben. Da hat unsere Tochter den Hund geweckt und ist mit ihm in die Küche gegangen. Im Regal hat sie Brötchen gefunden. Dann hat sie mit Hasso gefrühstückt."

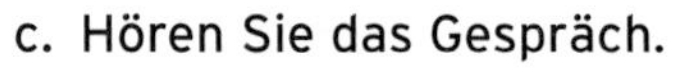

c. Hören Sie das Gespräch. 3 | 30
Welcher Text passt? ✗ A ○ B ○ C ○

6 Uhrzeiten

Hören Sie die Gespräche und markieren Sie. ✗ 3 | 31-34

Gespräch 1
Wie spät ist es?
- ○ Es ist 12.35 Uhr.
- ○ Es ist 0.53 Uhr.
- ○ Es ist 13.35 Uhr.

Gespräch 2
Wann kommt der Mann heute Abend nach Hause?
- ○ Um 8.30 Uhr.
- ○ Um 20.30 Uhr.
- ○ Um 19.30 Uhr.

Gespräch 3
Um wie viel Uhr will der Sohn aufstehen?
- ○ Um 5.45 Uhr.
- ○ Um 6.15 Uhr.
- ○ Um 4.16 Uhr.

Gespräch 4
Wann ist der Junge ins Bett gegangen?
- ○ Um 2.40 Uhr.
- ○ Um 4.20 Uhr.
- ○ Um 2.15 Uhr.

Wie spät ist es? – **Es ist** Viertel nach sieben.
Wann / Um wie viel Uhr steht er auf? – Er steht **um** Viertel nach sieben auf.

 7 „Wann bist du gestern aufgestanden?"

Berichten Sie über Ihren Tagesablauf gestern. Machen Sie Interviews in kleinen Gruppen.

⊙ *Wann bist du aufgestanden?*
Um wie viel Uhr hast du gefrühstückt?
Wann hast du ... / bist du ...?
...

aufstehen ◎ frühstücken ◎ einkaufen ◎ nach Hause kommen ◎ aufräumen ◎ kochen ◎ arbeiten ◎ fernsehen ◎ Musik hören ◎ im Park laufen ◎ ...

8 „Guten Morgen, mein Sohn."

a. Was sehen Sie auf dem Foto? Beschreiben Sie die Situation.

b. Wer sagt was? Hören Sie den Text und notieren Sie: 3 | 35 

Vater V Mutter M Sohn S oder Tochter T . 

1. M „Bitte Britta, du kannst doch wenigstens dein Ei essen!"
2. „Das Salz steht vor dir auf dem Tisch."
3. „Wann ist Markus eigentlich gestern nach Hause gekommen?"
4. „Oh Gott, vielleicht ist er gar nicht da!"
5. „Aber du bist ja verletzt; du hast eine Wunde am Auge."
6. „Ich war gestern in der Disco."
7. „Wer ist Corinna?"
8. „Der Typ hat Corinna provoziert."
9. „Was soll das heißen?"
10. „Und dann hast du in der Disco den Tarzan gespielt?"

c. Was ist passiert? Erzählen Sie die Geschichte im Kurs nach.

○ *Markus war gestern Abend in der Disco.*
Seine Freundin Corinna war ... Dann ...

Perfekt ohne **„ge"**:

pass**ieren**	Was ist **passiert**?
provoz**ieren**	Er hat sie **provoziert**.

9 Das Datum

a. Hören Sie die Gespräche. Was ist richtig? X 3 | 36-41  

1. Welches Datum ist heute?
   - Der 17. August.
   - Der 20. September.
   - Der 27. August.
2. Welches Datum ist morgen?
   - Der 16. April.
   - Der 26. April.
   - Der 6. April.
3. Wann hat Alexander Geburtstag?
   - Am 11. Januar.
   - Am 11. Februar.
   - Am 4. Februar.
4. Wann ist die Zahnarztpraxis geschlossen?
   - Vom 3. bis zum 15. Mai.
   - Vom 13. bis zum 25. März.
   - Vom 3. bis zum 15. März.
5. Wann hat Elke geheiratet?
   - Am 21. Juni.
   - Am 1. Juni.
   - Am 1. Juli.
6. Seit wann ist Herr Busch in Rente?
   - Seit dem 14. November.
   - Seit dem 15. Oktober.
   - Seit dem 25. Dezember.

Heute ist **der erste** Januar.
Morgen ist **der einundzwanzigste** August.
Er kommt **am ersten** Januar.
Er kommt **am einundzwanzigsten** August.

b. Stellen Sie im Kurs Fragen zum Datum. Wer antwortet, fragt weiter.

○ *Welches Datum ist heute?* ◆ *Heute ist der ...*
Wann hast du Geburtstag?

Fokus Sprechen

1 Ist der Vokal kurz oder lang?

a. Hören Sie die Wörter und sprechen Sie nach. 3 | 42  44

b. Kurz oder lang? Kreuzen Sie an. ✗

	kurz	lang		kurz	lang		kurz	lang		kurz	lang
gefahren		✗	gelesen			studiert			geflogen		
gehalten	✗		gesehen			gerissen			gekommen		
gemalt			gesessen			geschnitten			gesucht		
geschlafen			gestellt			geholfen			gewusst		
gesagt			gelegt			geholt			gerufen		
gepackt			geschrieben			geschoben			geblutet		

c. Suchen Sie 10 Verben aus und bilden Sie damit Sätze. Arbeiten Sie mit einem Partner oder im Kurs.

gemalt: *Das Kind hat ein Bild gemalt.*
gekommen: *Ich bin spät nach Hause gekommen. ...*

2 Hast du schon die Schuhe geputzt?

a. Hören Sie zu und sprechen Sie nach. 3 | 43  45

⊙ Hast du schon die Schuhe geputzt?

◆ Ja, die habe ich schon geputzt.
◆ Nein, die habe ich noch nicht geputzt.
◆ Die habe ich Montag geputzt.
◆ Die habe ich gestern schon geputzt.

b. Spielen Sie die Übung im Kurs weiter.

⊙ *Hast du schon die Wohnung/die Küche/das Fahrrad/die Brille/die Zähne ... geputzt?*
◆ *Ja, die .../Nein, die ...*

3 Hast du schon ...?

a. Hören Sie und antworten Sie. 3 | 44  46 

⊙ Hast du schon die Wand angestrichen?	◆ Ja, die ... schon ...
⊙ Hast du schon den Wagen gewaschen?	◆ Ja, den ... schon...
⊙ Hast du schon die Blumen geholt?	◆ Nein, die ... noch nicht ...
⊙ Hast du schon das Geschirr gespült?	◆ Ja, das ... Dienstag ...
⊙ Hast du schon den Brief geschrieben?	◆ Ja, den ... gestern ...

b. Erfinden Sie mit einem Partner weitere Fragen und Antworten. Tragen Sie sie im Kurs vor.

⊙ *Hast du schon mit deinem Freund telefoniert? / Hast du schon deinen Freund angerufen? ...*

◎ telefonieren ◎ anrufen ◎ korrigieren ◎ schreiben ◎ lesen ◎ suchen ◎ finden ◎ ... ◎

4 Hören Sie die Sätze und sprechen Sie nach. 3 | 45-48 47-50

a.
- ⊙ Wo haben Sie gesessen?
- ◆ Das habe ich vergessen.
- ⊙ Was haben Sie gegessen?
- ◆ Das habe ich auch vergessen.
- ⊙ Wo sind Sie gewesen?
- ◆ Ich habe im Bett gelegen und ein Buch gelesen.

b.
Er ist aufgewacht.
Er hat an sie gedacht.
Sie hat den Kaffee gebracht
und das Fenster aufgemacht.
Er hat vom Urlaub geträumt
und sie hat aufgeräumt.
Sie hat etwas gefragt,
doch er hat nichts gesagt.

c.
Sie hat studiert.
Erst hat sie markiert,
dann hat sie notiert,
danach korrigiert
und zum Schluss telefoniert.
Sonst ist nichts passiert.

d.
Er hat seinen Koffer gewogen
und ist nach Mallorca geflogen.
Sie ist zu Hause geblieben
und hat einen Brief geschrieben.
Er ist nach Hause gekommen
und hat sie in den Arm genommen.

5 Im Schnellimbiss

Speisekarte

Speisen	
Hähnchen	3,50
Schnitzel	2,50
Bratwurst	2,00
Hamburger	2,80
Frikadelle	2,00
Pommes frites	1,50
Kartoffelsalat	2,10
Brötchen	0,60

Getränke	
Mineralwasser	1,50
Eistee	1,50
Cola	1,50
Limonade	1,50
Bier	1,80
Ketchup	0,60
Mayonnaise	0,60

a. Hören sie das Gespräch.

- ⊙ Was wollen wir essen?
- ◆ Ich hätte gern ein Hähnchen mit Pommes frites. Und du?
- ⊙ Lieber eine Bratwurst. Ich habe gestern schon Hähnchen gegessen.
- ◆ Und was trinken wir?
- ⊙ Ich hätte gern eine Cola. Du auch?
- ◆ Lieber einen Eistee.

b. Üben Sie das Gespräch mit einem Partner. Variieren Sie es dann mithilfe der Speisekarte.

Ich hätte	gern / lieber	ein Schnitzel.
		eine Frikadelle.
		einen Kartoffelsalat.
		…

6 „Das habe ich schon gemacht."

a. Hören Sie das Gespräch. 3 | 50 52

⊙ Hast du die Koffer schon ins Auto gebracht?
◆ Ja, das habe ich vorhin schon gemacht.
⊙ Schön! Dann können wir ja jetzt abfahren.
◆ Halt! Nicht so schnell! Ich muss die Haustür noch abschließen.
⊙ Das brauchst du nicht. Die Haustür habe ich schon abgeschlossen.
◆ Prima, dann können wir wirklich abfahren.

b. Spielen Sie das Gespräch mit einem Partner im Kurs nach.

c. Verändern Sie das Gespräch und spielen Sie es dann.

⊙ *Hast du ... schon ins Auto gebracht?*
◆ *Ja, das habe ich ... schon gemacht.*
⊙ *Schön! Dann können wir ja jetzt abfahren.*
◆ *Halt! Nicht so schnell! Ich muss noch ...*
⊙ *Das ist nicht nötig. ... habe ich schon ...*
◆ *Prima, dann können wir wirklich abfahren.*

- die Taschen
- die Jacken
- die Mäntel
- heute Morgen
- um 7 Uhr
- vorhin schon
- die Fenster zumachen
- den Kühlschrank ausmachen
- die Fische füttern

7 Schreiben Sie ein ähnliches Gespräch mit einer Partnerin/einem Partner.

Tragen Sie es dann im Kurs vor.

⊙ *Hast du ... (schon) ...?*
◆ *Ja, das ... / Nein, das ...*
⊙ *Ich muss noch ... / Du musst noch ...*
◆ *Das brauchst du nicht / Das ist nicht nötig / notwendig.*
⊙ *... habe ich schon ...*

- die Garage abschließen
- die Fahrräder aus dem Keller holen
- die Fahrräder in die Garage stellen
- das Licht ausmachen
- die Fenster zumachen
- den Strom / das Gas abstellen
- die Mäntel einpacken
- den Regenschirm holen
- den Anrufbeantworter anschalten
- ...

8 „Kannst du bitte ...?"

a. Lesen Sie die Sätze. Finden Sie dann mit einem Partner eine Reihenfolge für das Gespräch.

1. Und ich bin schon im Supermarkt gewesen, habe den Balkon sauber gemacht und die Wäsche gewaschen!
2. Warte mal, wir können das Geschirr ja auch zusammen spülen.
3. Warum ich? Kannst du das nicht machen? Ich lese gerade.
4. Also dann spüle ich das Geschirr.
5. Wie bitte? Ich habe gerade die Betten gemacht, das Wohnzimmer aufgeräumt und die Katze gefüttert.

⊙ Kannst du bitte das Geschirr spülen? ◆ 3  ⊙  ◆  ⊙  ◆ 

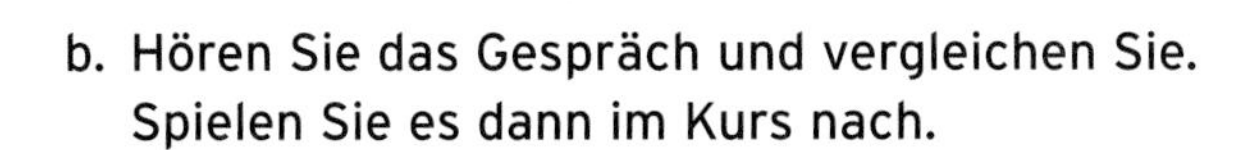

b. Hören Sie das Gespräch und vergleichen Sie. Spielen Sie es dann im Kurs nach.

3 | 51

53

9 Warum ich?

Bereiten Sie mit einem Partner drei kleine Gespräche vor und spielen Sie sie dann im Kurs.

die Treppe putzen

das Bad sauber machen

den Keller aufräumen

das Mittagessen kochen

zur Post fahren

Geld von der Bank holen

zum Blumenladen gehen

das Auto sauber machen

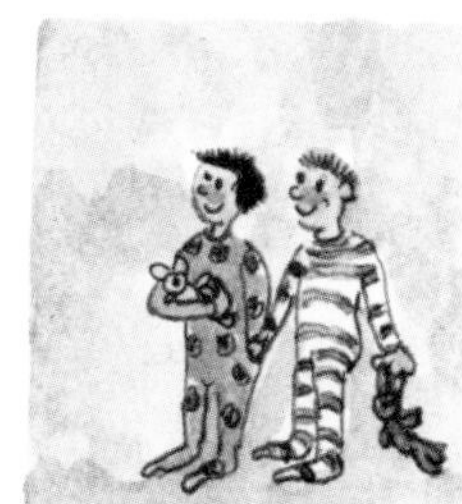
die Kinder ins Bett bringen

den Hund füttern

⊙ *Kannst du bitte ...? / Kannst du vielleicht ...?*
◆ *Ich habe / Ich bin ... schon / vorhin / gerade / gestern ...*

⊙ *Kannst du bitte ...?*
◆ *Warum ich? Kannst du das nicht machen? Ich habe gerade ... und ...*
⊙ *Na gut, dann ...*

Fokus Schreiben

1 Hören Sie zu und schreiben Sie. 3 | 52

Markus .... spät ....

.... lange .... Dann ....

.... Computer ....

.... Corinna ....

2 Veras Terminkalender

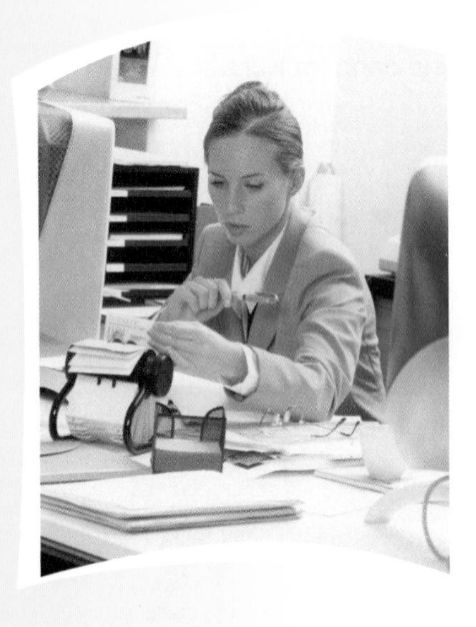

1	So	Maifeiertag
2	Mo	15:00 Pass abholen (Rathaus)
3	Di	8:23 Zug → Zürich
4	Mi	9:15 Besprechung Frau Mittler
5	Do	Himmelfahrt - Europatag 13:17 Abflug → Wien
6	Fr	Besichtigung Fa. Hohler (11:00)
7	Sa	12:30 Mittagessen mit Herrn Walter
8	So	Muttertag frei! (Oma anrufen!)
9	Mo	6:50 Abflug → Berlin
10	Di	10:30 Dr. Bäumler treffen!!!
11	Mi	Konferenz 9:00 - 17:00 / *Geb. Lena!!
12	Do	8:15 Besprechung bei Fa. Schmittke
13	Fr	14:03 Zug → Stuttgart
14	Sa	Rechnungen schreiben
15	So	Pfingstsonntag Ausflug mit Heidi und Lars
16	Mo	Pfingstmontag

a. Welche Termine hat Vera vom zweiten bis zum vierzehnten Mai? Arbeiten Sie mit einem Partner.

Am zweiten Mai holt Vera ihren Pass im Rathaus ab.
Am dritten Mai fährt sie um ... mit dem ... nach ...
Am vierten ... hat sie um ... eine Besprechung mit ...
... fliegt sie um ... nach ...
... besichtigt sie die Firma Hohler.
...

b. Was erzählt Vera ihren Freunden am Pfingstsonntag über die beiden letzten Wochen?

⊙ *Am zweiten Mai habe ich meinen Pass im Rathaus abgeholt. Am dritten Mai bin ich ... Am vierten hatte ich ...*

3 Ein Brief aus Berlin

a. Lesen Sie den Anfang von Veras Brief.

Berlin, den 09. Mai

Liebe Lena,

zu Deinem Geburtstag möchte ich Dir herzlich gratulieren. Ich wünsche Dir alles Gute für Dein neues Lebensjahr, viel Glück und Erfolg!

Auch dieses Jahr kann ich leider nicht zu Deiner Party kommen. Du weißt ja: In meinem Beruf bin ich dauernd auf Reisen. Letzte Woche habe ich Kunden in Zürich und Wien besucht, diese Woche bin ich in Berlin. Heute Morgen bin ich schon um 6:50 Uhr aus Wien abgeflogen und um 8:15 Uhr in Berlin angekommen.

Mein Hotelzimmer ...

Der Himmel ist ganz blau und der Blick über die Stadt ist wunderbar. Berlin im Frühjahr gefällt mir!

Herzliche Grüße
Deine
Vera

b. Schreiben Sie den Mittelteil von Veras Brief. Arbeiten Sie mit einer Partnerin/einem Partner. Sie können folgende Ausdrücke benutzen:

- Hotelzimmer war noch nicht frei
- ist deshalb in die Stadt gegangen
- trifft erst heute Nachmittag einen Kunden und hat also jetzt etwas Zeit
- hat die neuen Regierungsgebäude gesehen
- hat dann eine Führung durch den Reichstag mitgemacht
- hat den Dom besichtigt und ist im Museum gewesen
- hat dann Ansichtskarten gekauft und Fotos gemacht
- sitzt jetzt im Café im Fernsehturm und schreibt diesen Brief

der Brief – dies**er** Brief
die Woche – dies**e** Woche
das Jahr – dies**es** Jahr
die Leute – dies**e** Leute

4 Wie wird das Wetter heute?

a. Lesen Sie die Erklärungen für die Symbole.

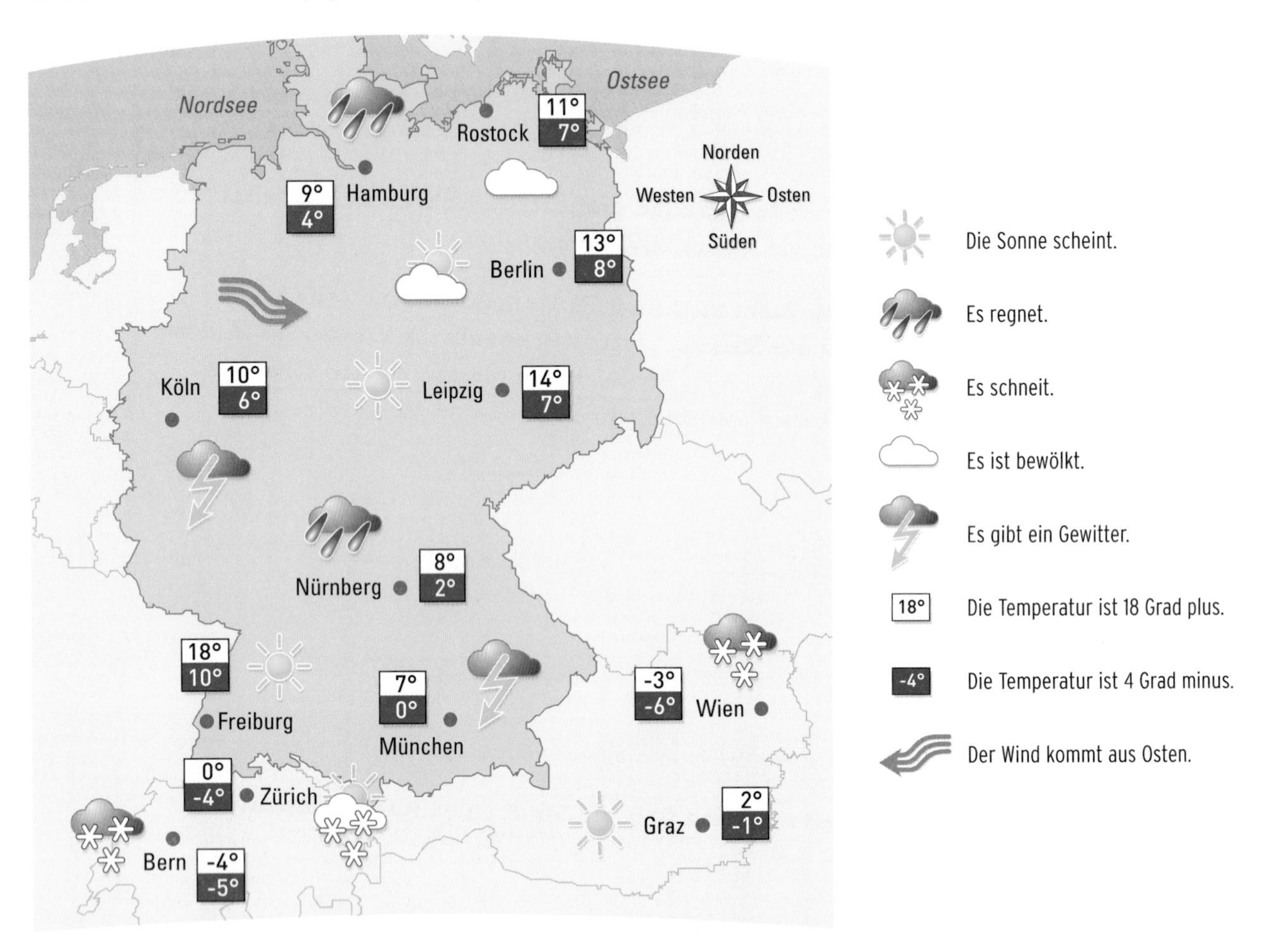

Die Sonne scheint.

Es regnet.

Es schneit.

Es ist bewölkt.

Es gibt ein Gewitter.

18° Die Temperatur ist 18 Grad plus.

-4° Die Temperatur ist 4 Grad minus.

Der Wind kommt aus Osten.

b. Was meinen Sie? Ist es auf der Wetterkarte Frühling, Sommer, Herbst oder Winter?

c. Machen Sie ein Frage- und Antwort-Spiel im Kurs. Bilden Sie selbst weitere Fragen.

⊙ *Wo scheint heute die Sonne?* ◆ *In Freiburg.*
⊙ *Wo regnet es heute?* ◆ *In ...*
Wo schneit es?
Wo ist es bewölkt?
Wo gibt es ein Gewitter?
Wo gibt es am Tag 18 Grad plus?
Wo gibt es in der Nacht 4 Grad minus?
Woher kommt der Wind?

d. Wo kann man heute ...?
Was meinen Sie? Diskutieren Sie im Kurs.

Wo kann man heute draußen grillen?
Wo kann man heute Abend einen Spaziergang machen?
Wo kann man heute Nacht ...?
Wo kann man ... ?
Wo kann man nicht ...?

wandern · eine Gartenparty machen · eine Fahrradtour machen · Fußball spielen · das Haus anstreichen · draußen frühstücken · im Zelt übernachten · Ski fahren · segeln · Fenster putzen · im Garten arbeiten · auf dem Balkon essen · im Meer baden · Tennis spielen · ...

5 Ein Tag im Leben von Ulrike M.

Ulrike und Stefan M. leben in einem Dorf an der Ostsee. Stefan ist Lehrer, Ulrike ist zurzeit arbeitslos. Sie kümmert sich um den Haushalt und die Kinder.

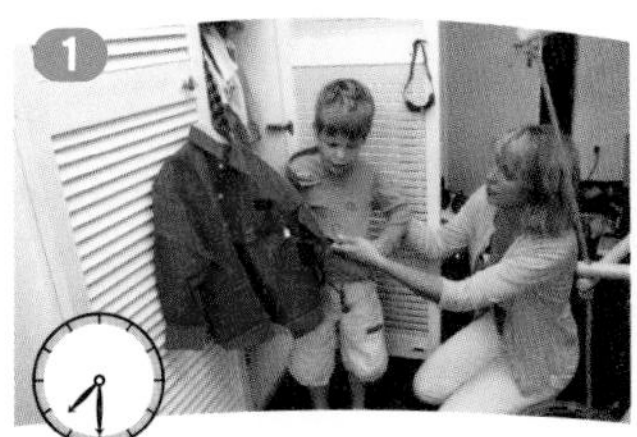

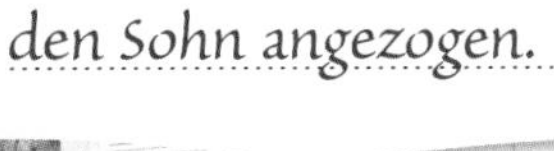

Um 8 Uhr hat sie ...

a. Schreiben Sie die Sätze im Perfekt.

den Sohn anziehen · mit den Kindern ans Meer fahren · mit Stefan einen Film ansehen · das Frühstück machen · den Sohn zum Kindergarten bringen · einkaufen · der Tochter bei den Hausaufgaben helfen · die Katze füttern · eine Bewerbung schreiben · die Tochter von der Schule abholen

b. Was hat Ulrike heute noch gemacht?
Vielleicht hat Ulrike noch viel mehr gemacht. Überlegen Sie mit einer Partnerin/einem Partner 5 Beispiele und vergleichen Sie im Kurs.

Um ... Uhr hat sie das Kinderzimmer aufgeräumt. Vielleicht hat sie ...

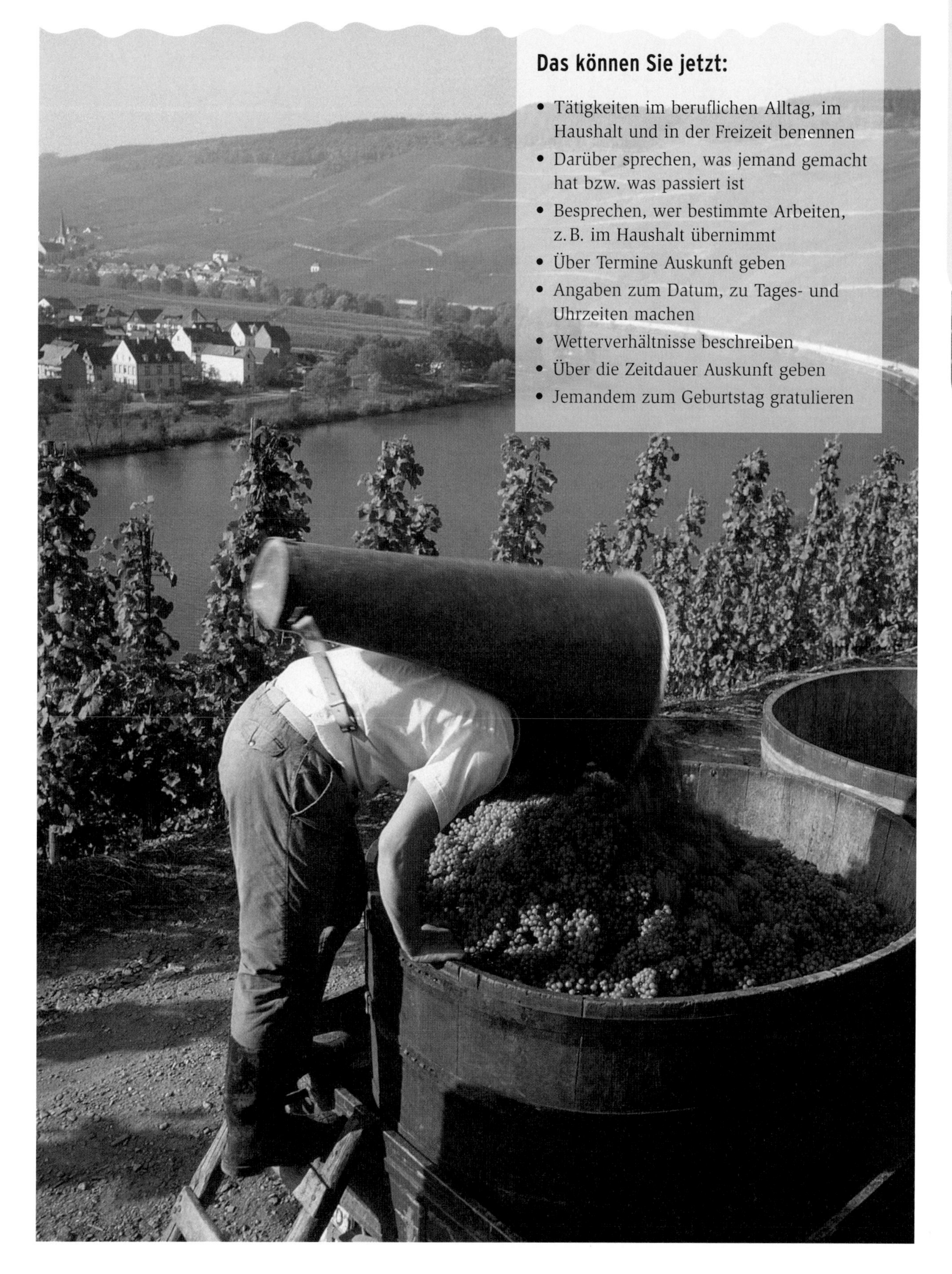

Das können Sie jetzt:

- Tätigkeiten im beruflichen Alltag, im Haushalt und in der Freizeit benennen
- Darüber sprechen, was jemand gemacht hat bzw. was passiert ist
- Besprechen, wer bestimmte Arbeiten, z. B. im Haushalt übernimmt
- Über Termine Auskunft geben
- Angaben zum Datum, zu Tages- und Uhrzeiten machen
- Wetterverhältnisse beschreiben
- Über die Zeitdauer Auskunft geben
- Jemandem zum Geburtstag gratulieren

Der Traummann 

- ❂ Ich muss immer daran denken. Das war so schön ...
- ▦ Was denn? Erzähl doch!
- ❂ Also ... Gleich morgens, da hat mein Mann Kaffee gekocht und das Frühstück gemacht.
- ▦ Das ist ja nett!
- ❂ Und dann hat er die Wohnung aufgeräumt.
- ▦ Wirklich?
- ❂ Ja. Die Wäsche hat er auch gewaschen.
- ▦ Was? Das hat mein Mann noch nie gemacht.
- ❂ Mittags hat er ganz alleine gekocht.
- ▦ Und das Geschirr?
- ❂ Hat er gespült und dann die Küche geputzt.
- ▦ Unglaublich!
- ❂ Und dann ist er zum Supermarkt gefahren und hat eingekauft.
- ▦ Toll. Ich muss immer alleine einkaufen.
- ❂ Er hat auch einen Blumenstrauß für mich mitgebracht.
- ▦ Wie süß!
- ❂ Und abends hat er Kerzen auf den Tisch gestellt.
- ▦ Oh, wie romantisch!
- ❂ Dann hat er eine Flasche Champagner geholt und meine Lieblingsmusik angemacht.
- ▦ Dein Mann ist ja ein Traum! Habt ihr auch getanzt?
- ❂ Das weiß ich leider nicht. An dieser Stelle hat der Wecker geklingelt und ich bin aufgewacht ...

Übungstest *Start Deutsch 1*

Liebe Kursteilnehmerin, lieber Kursteilnehmer,

nun sind Sie am Ende von *Lagune 1* angekommen. Möchten Sie an dieser Stelle Ihre Deutschkenntnisse überprüfen oder für die A1-Prüfung trainieren? Hier finden Sie einen Übungstest für die Prüfung *Start Deutsch 1* mit allen Prüfungsteilen und Tipps dazu. Die Tipps finden Sie jeweils nach einem Prüfungsabschnitt unten auf der Seite. Sie können zuerst die Tipps lesen und im Anschluss die Aufgaben lösen.
Die Hörtexte finden Sie auf der eingelegten CD hinten im Buch.
In der Prüfung übertragen Sie Ihre Lösungen auf den Antwortbogen, dafür haben Sie jeweils etwas Zeit.
Bei diesem Übungstest tragen Sie Ihre Lösungen direkt ein.

So sieht die Prüfung *Start Deutsch 1* aus:

	Teil		Punkte		Zeit ca.
Hören	1	Kurzgespräche (Sie hören jedes Gespräch **zweimal**, d.h. direkt nach dem ersten Hören noch einmal.)	6		**20 Min.**
	2	Durchsagen (Sie hören jede Durchsage **nur einmal**.)	4		
	3	Ansagen am Telefon (Sie hören jede Ansage **zweimal**, d.h. direkt nach dem ersten Hören noch einmal.)	5	15	
Lesen	1	Kurznotizen	5		**25 Min.**
	2	Kleinanzeigen und Situationen	5		
	3	Schilder / Aushänge	5	15	
Schreiben	1	Ein Formular ergänzen	5		**20 Min.**
	2	Eine Kurzmitteilung schreiben (nach 3 Leitpunkten)	10	15	
Sprechen	1	Sich vorstellen	3		**15 Min.**
	2	Nach Informationen fragen / Informationen geben	6		
	3	Um etwas bitten und auf Bitten antworten	6	15	

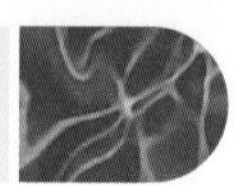

Was ist richtig? Kreuzen Sie an: [a], [b] oder [c]. Sie hören jeden Text **zweimal**.

Beispiel:

0 Was möchten die Gäste?

[X] Sofort Getränke bestellen.

[b] Die Getränke bezahlen.

[c] Die Getränkekarte sehen.

1 Wo ist die Apotheke?

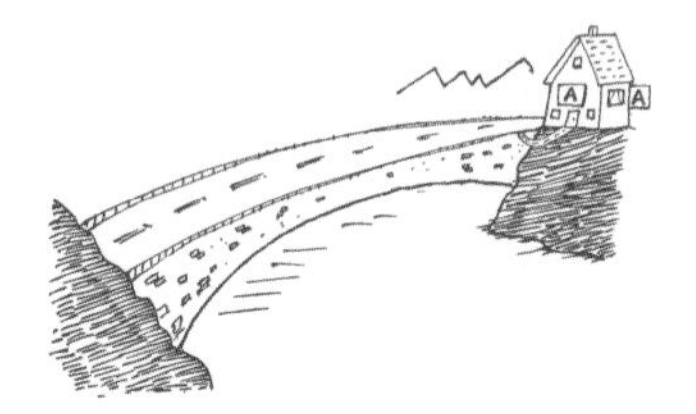

[a] Unter der Brücke.

[b] Nach der Brücke rechts.

[c] Links neben der Brücke.

2 Ab wann ist die Wohnung frei?

[a] Ab dem ersten Februar.

[b] Ab dem 15. Dezember.

[c] Ab dem ersten Januar.

3 Von welchem Arzt kommt die Frau gerade?

[a] Vom Zahnarzt.

[b] Vom Hals-Nasen-Ohren-Arzt.

[c] Vom Augenarzt.

4 Wo war der Kollege?

[a] Im Urlaub zu Hause. [b] Auf einer Geschäftsreise. [c] Im Urlaub an einer Lagune.

5 Um wie viel Uhr wollen die Freundinnen zusammen lernen?

[a] Um Viertel nach zwei. [b] Um zwei Uhr. [c] Um halb drei.

6 Was soll die Tochter putzen?

[a] Die Brille. [b] Die Zähne. [c] Die Schuhe.

TIPPS

Lesen Sie zuerst die Fragen in den Aufgaben 0 bis 6. Sie haben dazu in der Prüfung etwas Zeit.

- Unterstreichen Sie die Fragewörter. Welches Thema hat das Gespräch wohl?
- Sehen Sie sich auch die Bilder über [a], [b] und [c] an. Sie sind als Hilfe gedacht.
- Wo sind die Unterschiede zwischen [a], [b] und [c] ? Beispiel (0): Getränke <u>bestellen</u>, Getränke <u>bezahlen</u>, Getränke<u>karte</u> <u>sehen</u>)

Nach dem Lesen hören Sie das Beispiel (0), dann die Gespräche 1–6. Sie hören jedes Gespräch **zweimal**, d.h. direkt nach dem ersten Hören noch einmal. Hören Sie genau zu, denn im Hörtext können Wörter aus allen drei möglichen Lösungen ([a], [b], [c]) vorkommen. Kontrollieren Sie beim zweiten Hören Ihre Lösungen.

Und nicht vergessen: Auf jeden Fall eine Lösung markieren! Im Beispiel (0) ist die Lösung schon markiert.

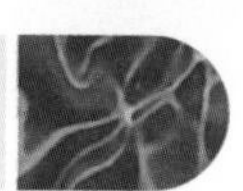

Kreuzen Sie an: Richtig oder *Falsch*. Sie hören jeden Text **einmal**.

3 | 55 55

Beispiel:

0 Die Kunden können an der Information eine Karte ausfüllen. ~~Richtig~~ *Falsch*

7 Reisende in Richtung Flughafen sollen den Zug auf Gleis 23 nehmen. Richtig *Falsch*

8 Nach 21 Uhr dürfen keine Besucher mehr im Museum sein. Richtig *Falsch*

9 Die Eltern sollen ihre Kinder nach zwei Stunden abholen. Richtig *Falsch*

10 Der Fahrer soll sofort zur Schwimmbadkasse kommen. Richtig *Falsch*

TIPPS

Sie hören in Teil 2 vier Durchsagen, zum Beispiel am Bahnhof, im Zug, in einem Geschäft.
Zu jedem Text sollen Sie eine Aufgabe lösen. Vor dem Hören können Sie die Aufgaben lesen. Dafür haben Sie in der Prüfung etwas Zeit. Sie hören jeden Text nur **einmal**.
Lesen Sie zuerst die Aufgaben. Unterstreichen Sie dann: Was können/sollen/... die Personen tun? Hören Sie dann den Text und lösen Sie die Aufgabe.

Was ist richtig? Kreuzen Sie an: [a], [b] oder [c]. Sie hören jeden Text **zweimal**. 3 | 56 56

11 Veronika soll im Arbeitszimmer den Computer

[a] zumachen.
[b] anschalten.
[c] ausschalten.

12 Wo soll Klaus warten?

[a] Vor dem Café.
[b] Im Café.
[c] Neben dem Café.

13 Wann ist die Praxis wieder geöffnet?

[a] Am 17.8. vormittags.
[b] Am 15. August.
[c] Um 19 Uhr.

14 Herr Müller soll zur Bibliothek kommen und

[a] ein Buch bezahlen.
[b] ein Buch abholen.
[c] ein Buch zurückbringen.

15 Warum kommt Claudia nicht zur Sprachschule?

[a] Sie möchte heute mal frei haben.
[b] Sie arbeitet heute vormittags.
[c] Sie hat einen Termin.

TIPPS

In Teil 3 hören Sie 5 Situationen am Telefon. Sie hören entweder eine Nachricht vom Anrufbeantworter oder eine Ansage. Sie hören jeden Text **zweimal**. Achten Sie auf die Unterschiede zwischen [a], [b] und [c] (z. B. <u>auf</u>machen, <u>zu</u>machen, <u>an</u>machen ...). Welche Information gibt der Hörtext? Beim zweiten Hören können Sie Ihre Lösungen kontrollieren.

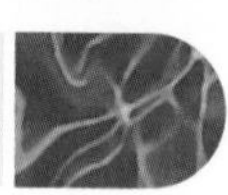

Sind die Sätze 1–5 Richtig oder *Falsch*? Kreuzen Sie an.

Beispiel:

0 Frau Hauenschild, die Sekretärin, hat diese E-Mail geschrieben. Richtig ~~*Falsch*~~

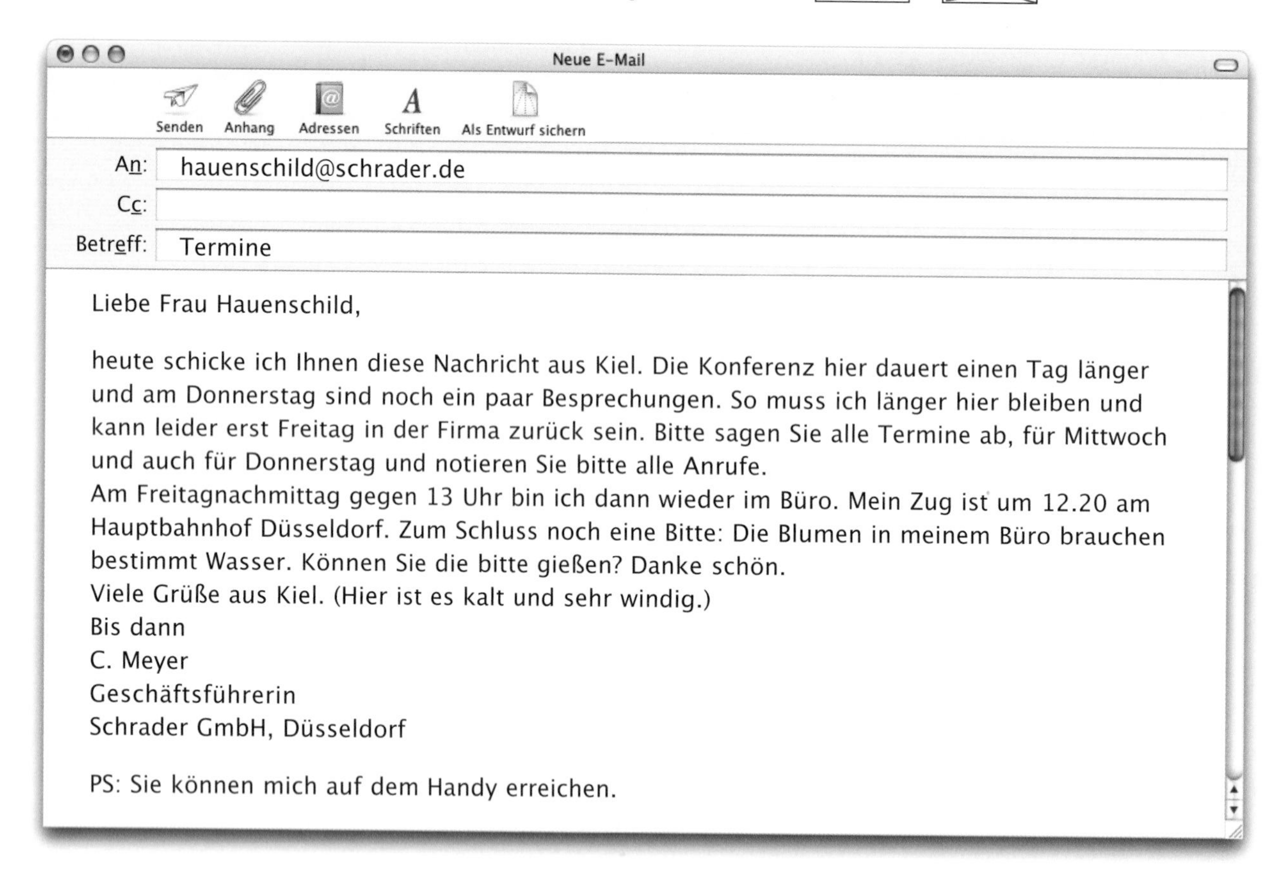

Neue E-Mail

Senden | Anhang | Adressen | Schriften | Als Entwurf sichern

An: hauenschild@schrader.de

Cc:

Betreff: Termine

Liebe Frau Hauenschild,

heute schicke ich Ihnen diese Nachricht aus Kiel. Die Konferenz hier dauert einen Tag länger und am Donnerstag sind noch ein paar Besprechungen. So muss ich länger hier bleiben und kann leider erst Freitag in der Firma zurück sein. Bitte sagen Sie alle Termine ab, für Mittwoch und auch für Donnerstag und notieren Sie bitte alle Anrufe.
Am Freitagnachmittag gegen 13 Uhr bin ich dann wieder im Büro. Mein Zug ist um 12.20 am Hauptbahnhof Düsseldorf. Zum Schluss noch eine Bitte: Die Blumen in meinem Büro brauchen bestimmt Wasser. Können Sie die bitte gießen? Danke schön.
Viele Grüße aus Kiel. (Hier ist es kalt und sehr windig.)
Bis dann
C. Meyer
Geschäftsführerin
Schrader GmbH, Düsseldorf

PS: Sie können mich auf dem Handy erreichen.

1 Frau Meyer muss noch zwei Tage länger in Kiel bleiben. Richtig *Falsch*

2 Die Sekretärin soll nur zwei Termine absagen. Richtig *Falsch*

3 Frau Meyer kommt um 12.20 mit dem Zug in Düsseldorf an. Richtig *Falsch*

4 In Kiel ist es nicht so kalt, aber es gibt viel Wind. Richtig *Falsch*

5 Frau Hauenschild kann Frau Meyer nicht anrufen. Richtig *Falsch*

TIPPS

In Teil 1 sollen Sie kurze Texte (z. B. Briefe, Faxe, E-Mails oder Notizen) lesen und dazu fünf Aufgaben lösen. Lesen Sie bitte zuerst die Aufgaben, dann den Text. Markieren Sie in den Aufgaben die wichtigen Wörter. Suchen Sie dann im Text die passenden Stellen. Im Text sind die Informationen nicht genau so formuliert wie in den Aufgaben: Beispiel (0): Im Text heißt es: ... **schicke** ich Ihnen **diese Nachricht**. In der Aufgabe steht: ... **hat diese E-Mail geschrieben**.

Lesen Sie die Texte und die Aufgaben 6–10.
Welche Anzeige passt? Kreuzen Sie an: [a] oder [b]?

Beispiel:

0 Herr Rheinländer möchte sein Auto verkaufen. Welche Anzeige hat er in die Zeitung gesetzt?

Wer sucht VW-Lupo? Garagenwagen, Baujahr 2004, zu verkaufen VB 15 000 Euro

VW-Lupo, gebraucht, max. 15.000 Euro gesucht. Tel. (ab 19.00): 243657

[b]

6 Student sucht Job für Juli oder August. Auf welche Anzeige antwortet er?

Student als Aushilfe gesucht, für 4 Wochen im August, mit PC-Kenntnissen und PKW-Führerschein. Z A C K-Zeitarbeit

[a]

Wir suchen für November bis Ende Febr. zwei Studenten für Schreibarbeiten Übersetzungsbüro Schnell Tel: 34 56 78

[b]

7 Ein Freund fliegt von London nach Frankfurt. Wann kommt er an? Wo finden Sie die Landezeit?

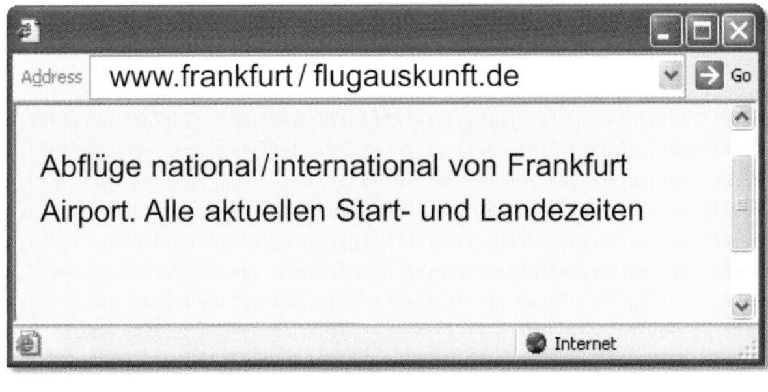

[a]

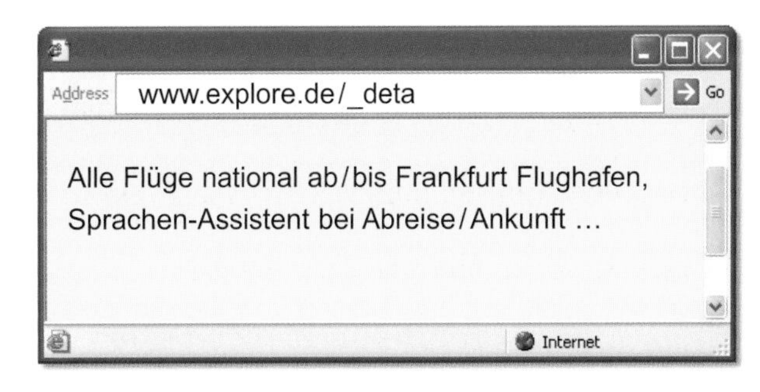

[b]

8 **Herr und Frau Fischer suchen ein Haus in der Stadtmitte. Welche Anzeige passt?**

4-Zimmer-Wohnungen und Häuser Umgebung (bis 30 km) 5-Zimmer-Wohnung mit Garten, zum 2.1. frei. Chiffre DA 21386

[a]

Neu renoviert, zentrale Lage, 1-Fam.-Haus, Abstand für Einbauküche 4500 €, sofort frei. Zuschriften: DA 2237 86

[b]

9 **Sie suchen einen 4-wöchigen Deutsch-Sprachkurs in Deutsch mit Prüfungsvorbereitung. Welche Sprachschule ist richtig?**

Sprachenzentrum: Deutsch-Intensivkurse, 4 Wochen, Start monatlich. Neu: Wir bereiten Sie auf Prüfungen vor (z.B. Start 1).

[a]

Das Atelier für asiatische Sprachen In Vorbereitung: 2-Monatskurse in Deutsch als Fremdsprache, Beginn (geplant): Januar

[b]

10 **Sie möchten eine Reise mit dem Zug machen. Welches Angebot passt?**

Günstig Reisen GmbH
Gruppen- und Individualreisen
Ihr Spezialist für Südeuropa und Afrika.
Fordern Sie unseren neuen Katalog an.

[a]

Bahnreisen günstig: Saisonangebot
24 Stunden durch Deutschland, für
nur 48 Euro. Reservierung nötig.

[b]

In Teil 2 sollen Sie Anzeigen lesen und 5 Aufgaben lösen. Zu jeder Aufgabe gibt es zwei Anzeigen. Lesen Sie zuerst die Aufgabe.

- Überlegen Sie: Welche Situation ist das?
- Unterstreichen Sie in der Aufgabe die wichtigen Wörter.
- Lesen Sie dann die Anzeige und unterstreichen Sie dort die wichtigen Stellen.
- Überlegen Sie dann: Welche Anzeige passt? Warum?

Beispiel (0): Herr Rheinländer möchte sein Auto verkaufen. Welche Anzeige hat er in die Zeitung gesetzt? Das Verb „suchen“ gibt es in beiden Anzeigen ([a] sucht; [b] gesucht). Doch: Anzeige [b] passt nicht, denn Herr Rheinländer sucht kein Auto ([b] gesucht), sondern er möchte sein Auto verkaufen ([a] zu verkaufen).

Lesen Sie die Texte und die Aufgaben 11 – 15. Kreuzen Sie an: Richtig oder Falsch?

Beispiel:

0 Am schwarzen Brett

Die Studenten können Samstag oder Sonntag arbeiten.

Gartenarbeiten am Wochenende übernehmen zwei Studenten (Gartenbau, 4. Sem.) Tel: 13579

~~Richtig~~ Falsch

13 An der Eingangstür

Die Möbel kann man am Abend anschauen.

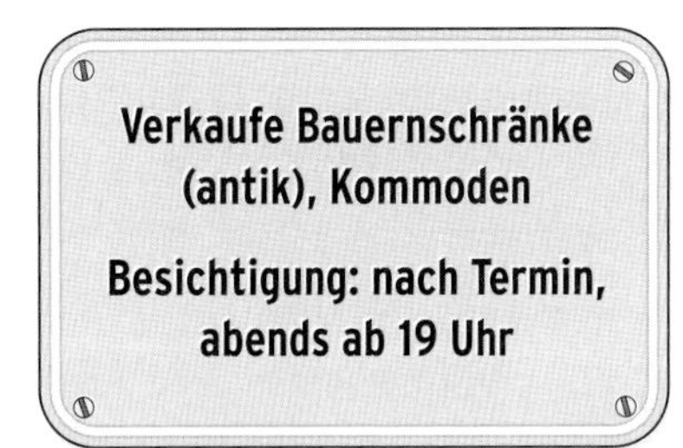

Richtig Falsch

11 An einer Laterne

Die Familie sucht ihre Katze. Sie ist weg.

Richtig Falsch

14 Am Pinboard

Die Frau schneidet Haare nur in ihrer Wohnung.

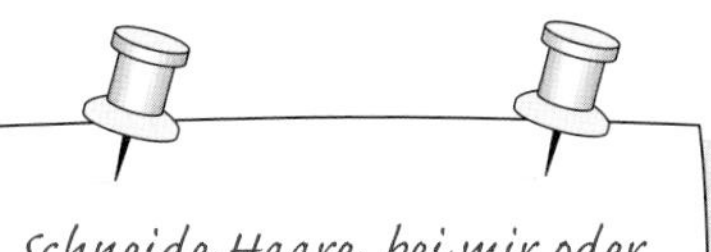

Schneide Haare, bei mir oder bei Ihnen zu Hause. Günstig und gut. Maria, Tel: 065432

Richtig Falsch

12 Im Supermarkt

Man kann die Wohnung kaufen.

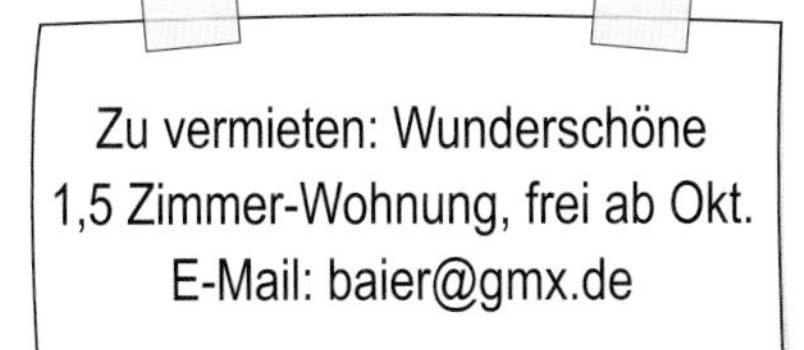

Richtig Falsch

15 An einer Haltestelle

Der Student möchte Deutsch lernen.

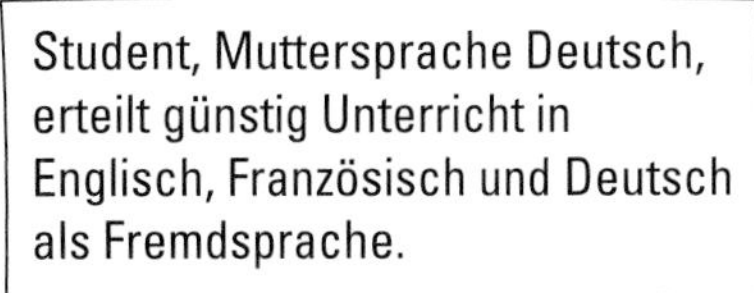

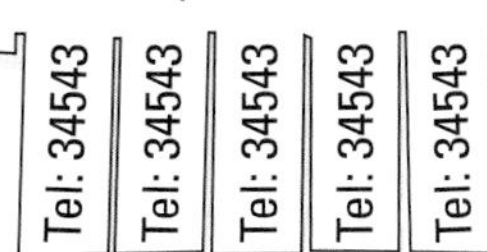

Richtig Falsch

TIPPS

In Teil 3 sollen Sie fünf kurze Mitteilungen (Schilder, Zettel, Aushänge) lesen und zu jedem Text eine Aufgabe lösen. Lesen Sie zuerst die Aufgabe, dann den Text. Unterstreichen Sie in der Aufgabe wichtige Wörter. Beispiel: Aufgabe 0: Die Studenten <u>können Samstag oder Sonntag arbeiten</u>. Markieren Sie dann wichtige Wörter im Text. (Garten<u>arbeiten am Wochenende</u>)

Maria Rodrigo Gonzales, 1983 in Madrid geboren, studiert zurzeit Jura in Tübingen. Sie hat dort ein Zimmer in einer Wohngemeinschaft, in der Marktstraße 2. Ab dem ersten April möchte sie in der Videothek DVDs und auch CDs ausleihen.

Schreiben Sie die fünf fehlenden Informationen in das Formular.

Die Videotheke
Videos, DVDs und CDs und mehr

Anmeldung

Familienname:	*Rodrigo Gonzales*	
Vorname:	*Maria*	
Geburtsdatum:	*1.5.*	1
Heimatstadt:	*Madrid*	
Wohnort:	*Tübingen*	
Adresse:		2
Telefon:	*132568*	
Geschlecht:	☐ männlich ☒ weiblich	
Nationalität:		3
Beginn der Ausleihe:	*1. 4.*	
Medien:	☐ DVDs ☐ Videos ☐ Spiele ☐ CDs	4
Beruf:		5
Datum:	*30.3.*	
Unterschrift:	*Rodrigo Gonzales*	

In Teil 1 sollen Sie in einem Formular fehlende Angaben ergänzen, z.B. einen Namen oder ein Datum. Die Informationen finden Sie im Text über dem Formular. Sehen Sie sich zuerst das Formular genau an. Welche Angaben fehlen? Lesen Sie nun den Text über dem Formular und unterstreichen Sie die passenden Informationen. Sie sollen Wörter, Zahlen oder ein Datum ergänzen und manchmal auch etwas ankreuzen.

Schreiben Sie eine E-Mail an Ihre Freunde:

- Danken Sie für die Einladung zum Essen.
- Sie können leider nicht kommen und entschuldigen sich dafür.
- Sie haben Zahnschmerzen und deshalb einen Arzttermin am Nachmittag.

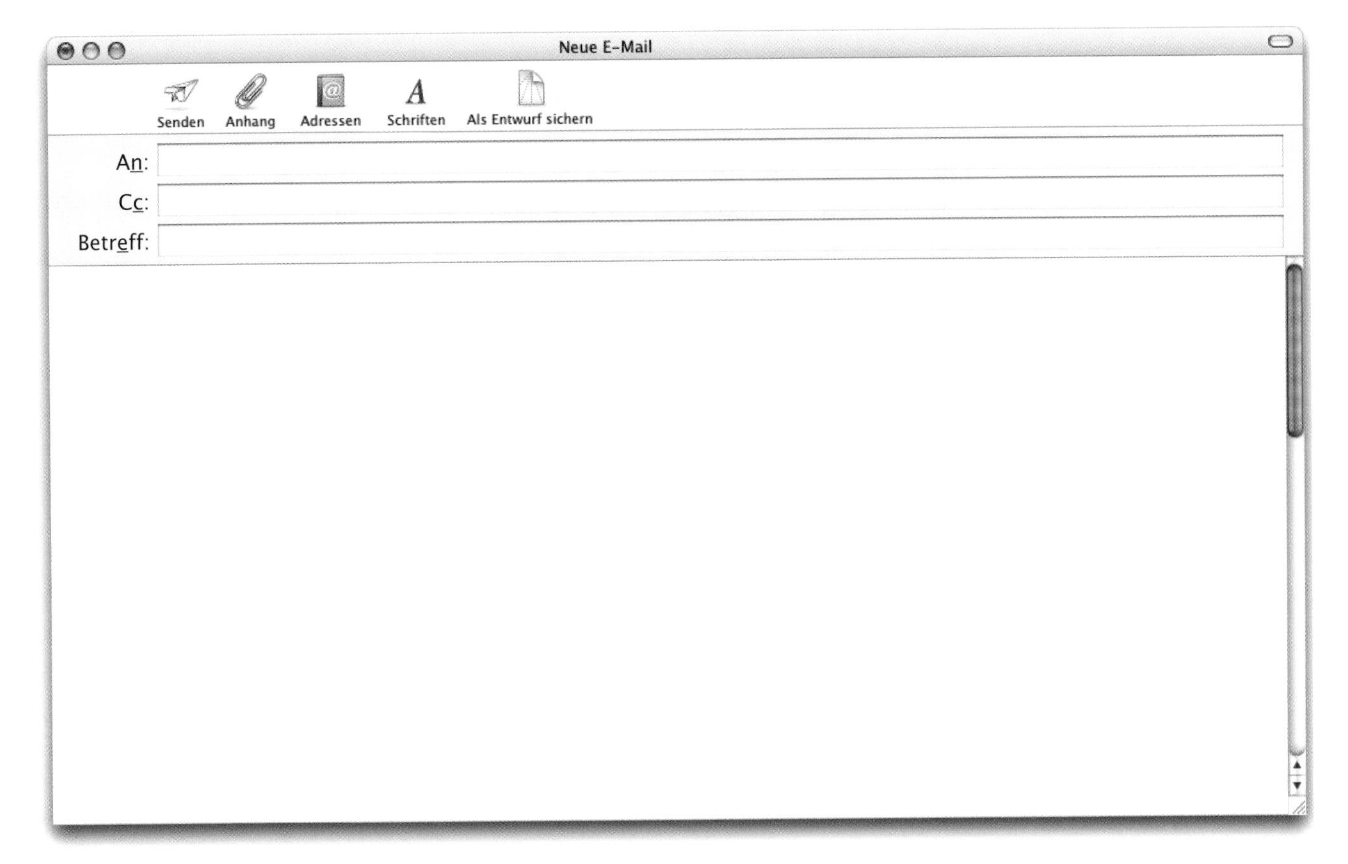

TIPPS

In Teil 2 sollen Sie einen Brief, eine Karte oder eine E-Mail schreiben, z. B. an eine Freundin / einen Freund, eine Mitschülerin / einen Mitschüler, Ihre Lehrerin / Ihren Lehrer oder an Kollegen. In der Aufgabe steht, warum Sie schreiben (z. B: Sie können nicht zu einer Party gehen, denn eine Freundin hat sie eingeladen.) Die Aufgabe nennt auch 3 Punkte. Schreiben Sie zu allen drei Punkten etwas.

Überlegen Sie vor dem Schreiben:
- An welche Person(en) schreiben Sie? Ist es ein Freund, ein Lehrer, sind es Kollegen, sind es mehrere Personen, z. B. Freunde?
- Welche Pronomen / Possessivartikel (Du / Dein, Ihr / Euer oder Sie / Ihr) müssen stehen?
- Welche Anrede (Sehr geehrte/r oder Liebe/r ...) ist richtig?
- Welcher Gruß passt?
- Vergessen Sie nicht das Komma nach der Anrede.
- Beginnen Sie Ihren Text nicht mit „ich“, sondern mit einem anderen Wort. (z. B. … heute schreibe ich …)

Lesen Sie zuerst die drei Punkte in der Aufgabe und unterstreichen Sie wichtige Wörter.
Überlegen Sie: Wie können Sie etwas mit anderen Worten sagen? (z. B. Punkt 1: vielen Dank für die Einladung / ihr habt mich … eingeladen, vielen Dank etc.) Kontrollieren Sie am Ende: Habe ich zu allen drei Punkten etwas geschrieben? Habe ich Anrede und Gruß?

Die mündliche Prüfung hat 3 Teile. Sie sind in einer Gruppe mit maximal drei anderen Kandidaten und zwei Prüfern. Sie sprechen mit einer Prüferin / einem Prüfer und anderen Kandidaten. Für die mündliche Prüfung gibt es keine Vorbereitungszeit. Die Prüfungszeit pro Teilnehmer ist in Teil 1 ca. 80 Sekunden, in Teil 2 und 3 jeweils ca. 60 Sekunden.

Sich vorstellen

TIPPS

In Teil 1 stellen Sie sich der Reihe nach in der Gruppe vor. Der Prüfer / die Prüferin erklärt zuerst die Aufgabe und zeigt auf das Aufgabenblatt mit den sieben Stichworten: Name? Alter? ... Er/sie stellt sich dann als Beispiel selbst kurz vor. Anschließend stellen Sie sich vor. Sagen Sie fünf oder sechs Sätze über sich. Sie bekommen als Hilfe die sieben Stichworte, müssen aber nicht zu jedem Stichwort etwas sagen.
Nach der Vorstellung stellt der Prüfer zwei Aufgaben: Sie sollen etwas buchstabieren (z. B. Ihren Namen). Sie sollen eine Nummer nennen (z. B. Ihre Hausnummer).

So können Sie im Kurs oder zu Hause für Teil 1 üben:

Sich vorstellen:
Überlegen Sie: Was können Sie über sich sagen? Die Stichworte (Name? Alter? ...) sind Ihre Orientierung.

Buchstabieren:
Üben Sie, wenn möglich, zu zweit: Ihr Partner fragt, Sie buchstabieren z. B. Ihren Familiennamen oder Vornamen, den Namen von Ihrer Heimatstadt, Ihrem Heimatland. Ihr Partner schreibt auf. Dann kontrollieren Sie. Beispiel: ◆ Woher kommst du? ⊙ Ich komme aus dem Iran. ◆ Wie schreibt man „Iran"? ⊙ I - R - A - N.

Nummern und Datumsangaben:
Wiederholen Sie die Zahlen und üben Sie mit einem Partner. Ihr Partner fragt, Sie antworten und nennen z. B. Ihr Geburtsdatum, Ihre Handynummer, Ihre Postleitzahl. Ihr Partner schreibt auf. Dann korrigieren Sie. Beispiel: ◆ Wann bist du geboren? ⊙ Am 5.1.1990. ◆ Kannst du das wiederholen, bitte? ⊙ Ja, gerne. ...

* insgesamt, bei 4 Kandidaten

TIPPS

In Teil 2 sollen Sie über zwei Themen sprechen, zuerst über das Thema Essen und Trinken, dann über das Thema Arbeit. Sie bekommen zu jedem Thema eine Wortkarte. Zum Beispiel:

Thema Essen und Trinken: „Gemüse“	**Fragen Sie Ihren Partner, z. B.:** • „Isst du gerne Gemüse?“ • „Welches Gemüse isst du gerne?“ / „Welches Gemüse magst du gerne?“ … **Ihr Partner antwortet z. B:** • „Ja, Gemüse esse ich sehr gerne.“ / „Nein, ich esse nicht so gern Gemüse.“ • „Ich esse gerne Tomaten.“ / „Tomaten mag ich gerne.“ …
Thema Arbeit: „Beruf“	**Fragen Sie Ihren Partner, z. B.:** • „Was bist du von Beruf?“ • „Welchen Beruf möchtest du haben?“ … **Ihr Partner antwortet z. B:** • „Ich bin … von Beruf.“ • „Ich möchte gern … sein / werden.“ …

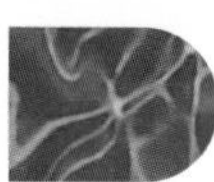

* insgesamt, bei 4 Kandidaten

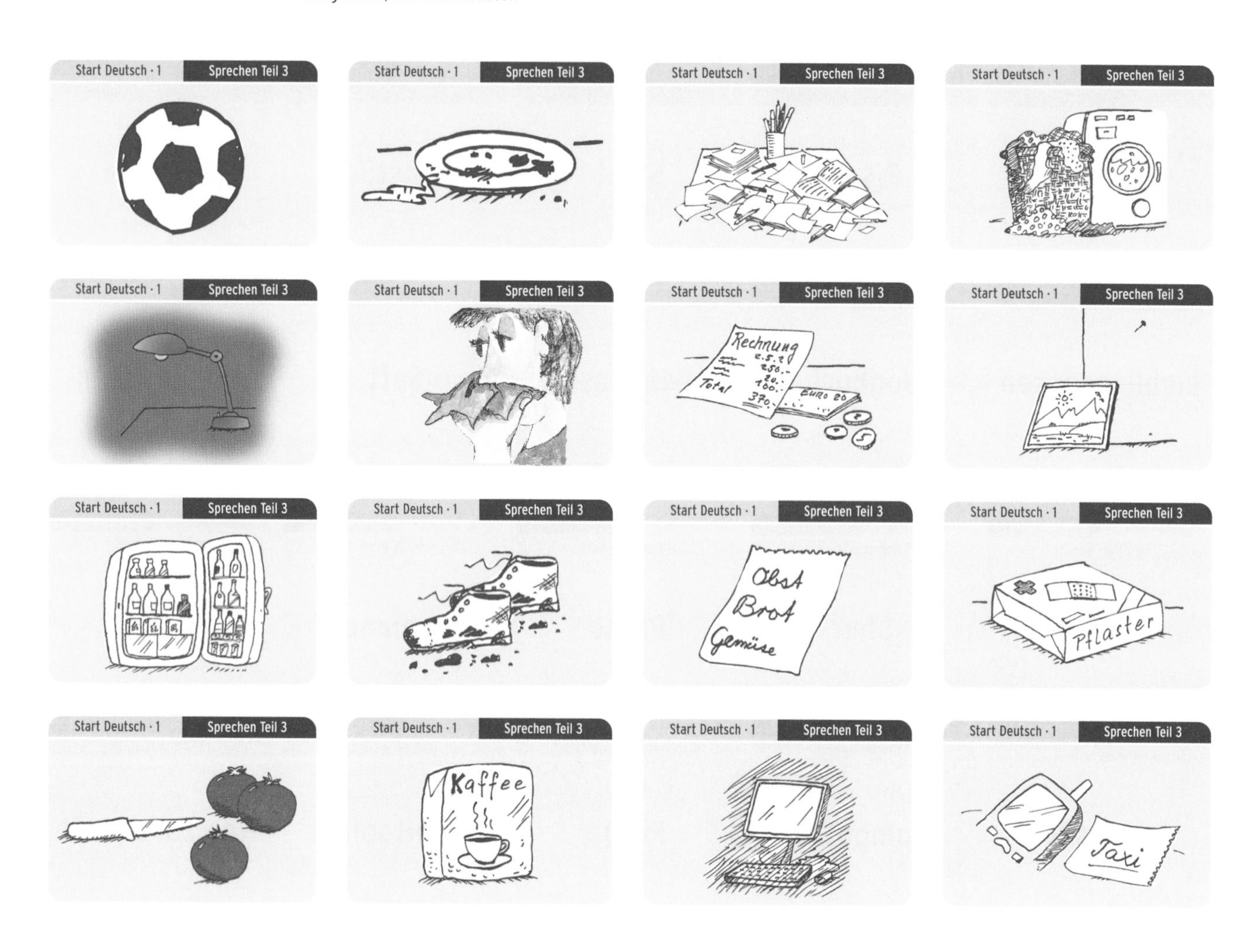

TIPPS

In Teil 3 bekommt jeder Teilnehmer 2 Kärtchen mit Bildern.
Die Aufgabe ist: Jemanden um etwas bitten oder auf eine Bitte antworten.
Schauen Sie die Zeichnung genau an. Überlegen Sie zuerst eine Situation. Überlegen Sie dann, welches Verb passt bzw. welche Verben passen. Formulieren Sie dann die Bitte / Frage.
Hier ist eine Liste von Möglichkeiten:

	Bitte / Frage	**Antwort**
	Schließt du bitte ... ? Kannst du bitte ... schließen?	Ja, das mache ich gerne. Den / Die / Das ... schließe ich gerne.
	Schließ doch bitte ...	Ich schließe ihn / sie / es ... gleich.
	Darf ich mal ... haben? Kann ich mal ... bekommen? ...	Ja, gerne, hier bitte. Natürlich, hier ist ... , bitte. ...

Lösungen zum Übungstest Start Deutsch 1

Hören
- **Teil 1** 1 b, 2 c, 3 a, 4 c, 5 c, 6 b
- **Teil 2** 7 f, 8 r, 9 r, 10 f
- **Teil 3** 11 c, 12 b, 13 a, 14 b, 15 c

Lesen
- **Teil 1** 1 r, 2 f, 3 r, 4 f, 5f
- **Teil 2** 6 a, 7 a, 8 b, 9 a, 10 b
- **Teil 3** 11 r, 12 f, 13 r, 14 f, 15 f

Schreiben
- **Teil 1** 1: 1983, 2: Marktstraße 2, 3: spanisch, 4: X DVDs, X CDs, 5: Studentin
- **Teil 2** *Lösungsbeispiele:*

Liebe Clara, lieber Klaus,
vielen Dank für Eure Einladung zum Essen. Entschuldigt bitte: Leider kann ich nicht kommen. Meine Zähne tun weh. Deshalb habe ich heute Nachmittag einen Termin beim Zahnarzt.
Herzliche Grüße
Euer / Eure
P.S. Feiert schön!

Liebe Freunde,
Ihr habt mich zum Essen eingeladen. Das ist sehr nett von Euch. Vielen Dank. Ich möchte gerne kommen, aber es geht nicht. Es tut mir leid, ich habe Zahnschmerzen. Und heute Nachmittag muss ich leider zum Zahnarzt gehen.
Herzliche Grüße
Euer / Eure
P.S. Bestimmt wird Euer Essen trotzdem schön.

Sprechen
- **Teil 1** *siehe Tipps*

Beispiele für Fragen und Antworten:

Name?	Wie heißen Sie? Wie ist Vor- und Familienname?	Ich heiße … Mein Name ist …
Alter?	Wie alt sind Sie?	Ich bin … Jahre alt.
Land? / Stadt?	Aus welchem Land / Woher kommen Sie?	Ich komme aus …
Wohnort?	Wo wohnen Sie?	Ich wohne in …
Sprachen?	Welche Fremdsprachen sprechen / können Sie?	Ich spreche / kann …
Beruf / Schule …?	Was sind Sie von Beruf?	Ich bin … von Beruf.
	Was möchten Sie werden?	Ich möchte … werden.
	Studieren Sie? / Möchten Sie studieren?	Ich studiere … / will … studieren.
Hobby(s)?	Was machen Sie gern in der Freizeit?	Mein Hobby ist … / Ich … gern.
	Welche Hobbys haben Sie?	Meine Hobbys sind …

Können Sie das (Ihren Namen …) bitte buchstabieren?
Wie ist Ihre Hausnummer (Telefonnummer …)?

- **Teil 2** *siehe Tipps*
- **Teil 3** *siehe Tipps*

Grammatik-Übersicht

In dieser Übersicht sehen Sie die in Lagune Band 1 gelernte Grammatik in systematischer Form.
Wenn Sie die Lagune 1 Grammatik gern pro Lerneinheit lernen wollen, finden Sie im Arbeitsbuch nach jeder Lerneinheit die neuen Grammatikthemen sowie weitere Einzelheiten und Sonderfälle.

Artikel und Nomen

§ 1 Artikel und Kasus bei Nomen

a. Definiter Artikel

	Nominativ	*Akkusativ*	*Dativ*
Maskulinum	**der** Mann	**den** Mann	**dem** Mann
Femininum	**die** Frau		**der** Frau
Neutrum	**das** Kind		**dem** Kind
Plural	**die** Leute		**den** Leute**n**

Bei Femininum, Neutrum, Plural: Akkusativ = Nominativ.
Im Plural: kein Unterschied zwischen Maskulinum – Femininum – Neutrum.

b. Indefiniter Artikel

	Nominativ	*Akkusativ*	*Dativ*
Maskulinum	**ein** Mann	**einen** Mann	ein**em** Mann
Femininum	**eine** Frau		ein**er** Frau
Neutrum	**ein** Kind		ein**em** Kind
Plural	Leute		Leute**n**

§ 2 Artikelwörter wie definiter Artikel: „dieser, jeder, welcher"

	Nominativ	*Akkusativ*	*Dativ*
Maskulinum	dies**er** / jed**er** / welch**er** Mann	dies**en** / jed**en** / welch**en** Mann	dies**em** / jed**em** / welch**em** Mann
Femininum	dies**e** / jed**e** / welch**e** Frau		dies**er** / jed**er** / welch**er** Frau
Neutrum	dies**es** / jed**es** / welch**es** Kind		dies**em** / jed**em** / welch**em** Kind
Plural	dies**e** / all**e** / welch**e** Kinder		dies**en** / all**en** / welch**en** Kinder**n**

! *Plural von* **jeder** = **alle**

§ 3 Artikelwörter wie indefiniter Artikel: „kein, mein, dein ..."

Indefiniter Artikel	*Negationsartikel* kein	*Possessivartikel* mein, dein ...
Das ist **ein** Telefon.	Das ist **kein** Telefon.	Ich habe ein Telefon. → Das ist **mein** Telefon.

ich:	mein	wir:	unser
du:	dein	ihr:	euer
er:	sein	sie:	ihr
sie:	ihr	Sie:	Ihr
es:	sein		

	Nominativ		*Akkusativ*		*Dativ*	
Maskulinum	kein mein dein sein ihr unser euer ihr / Ihr	Sohn	kein**en** mein**en** dein**en** sein**en** ihr**en** unser**en** eur**en** ihr**en**/Ihr**en**	Sohn	kein**em** mein**em** dein**em** sein**em** ihr**em** unser**em** eur**em** ihr**em** / Ihr**em**	Sohn
Femininum	kein**e** mein**e** dein**e** sein**e** ihr**e** unser**e** eur**e** ihr**e** / Ihr**e**			Tochter	kein**er** mein**er** dein**er** sein**er** ihr**er** unser**er** eur**er** ihr**er** / Ihr**e**	Tochter
Neutrum	kein mein dein sein ihr unser euer ihr / Ihr			Kind	kein**em** mein**em** dein**em** sein**em** ihr**em** unser**em** eur**em** ihr**em** / Ihr**em**	Kind
Plural	kein**e** mein**e** dein**e** sein**e** ihr**e** unser**e** eur**e** ihr**e** / Ihr**e**			Söhne Töchter Kinder	kein**en** mein**en** dein**en** sein**en** ihr**en** unser**en** eur**en** ihr**en** / Ihr**en**	Söhne**n** Töchter**n** Kinder**n**

! eu**er** Sohn, eu**er** Kind; *aber* eu**re** Söhne, eu**re** Kinder *usw.*

§ 4 Negation bei Nomen

Positive Aussage	*Negative Aussage*
Sie hat **ein** Haus.	Er hat **kein** Haus.
Er trinkt Kaffee.	Sie trinkt **keinen** Kaffee.

Sie hat **kein Haus**. → **Ein Haus** hat sie **nicht**.
Sie trinkt **keinen Kaffee**. → **Kaffee** trinkt sie **nicht**.
Vergleiche Negation bei Verben: → *§ 26*

§ 5 Eigennamen im Genitiv

die Frau von Jochen	=	Jochen**s** Frau
der Mann von Claudia	=	Claudia**s** Mann

Bei Namen auf **-s** *schreibt man:* Thomas' Reise, Doris' Hund.

§ 6 Ländernamen

	Ländernamen ohne Artikel
Ich fahre **nach**	Deutschland
	Österreich
	Frankreich
	Großbritannien
	…
	Australien
	Europa
	…
Ich komme **aus**	Deutschland
	Österreich
	Frankreich
	Großbritannien
	…
	Australien
	Europa
	…

	Ländernamen mit Artikel
Ich fahre **in**	**die** Bundesrepublik Deutschland
	die Schweiz
	die Türkei
	den Sudan
	…
	die USA *(Plural)*
	die Niederlande *(Plural)*
	…
Ich komme **aus**	**der** Bundesrepublik Deutschland
	der Schweiz
	der Türkei
	dem Sudan
	…
	den USA *(Plural)*
	den Niederlanden *(Plural)*
	…

§ 7 Einwohnernamen

Maskulinum	*Femininum*
-(i)er	**-(i)erin**
Amerikan**er**	Amerikan**erin**
Austral**ier**	Austral**ierin**

Ebenso:
Afrikaner, Ägypter, Brasilianer, Engl**ä**nder, Europäer, Inder, Iraner, Isl**ä**nder, Italiener, Japaner, Koreaner, Litauer, Marokkaner, Mexikaner, Neusee**l**änder, Niederl**ä**nder, Norweger, Österreicher, Philippiner, Schweizer, Syrer, Ukrainer, Venezolaner …

Belgier, Bosnier, Indonesier, Kanadier, Spanier, Tunesier …

-e	**-in**
Chines**e**	Chines**in**
Franzos**e**	Franz**ö**s**in**

Asiate, Baske, Brite, Bulgare, Chilene, Däne, Este, Finne, Grieche, Ire, Katalane, Kroate, Lette, Pole, Portugiese, Rumäne, Russe, Schotte, Schwede, Senegalese, Serbe, Slowake, Slowene, Tscheche, Türke, Vietnamese …

Besondere Formen: Ungar / Ungarin Israeli, Israelin **ein** Deutsch**er** / **der** Deutsche

Pronomen

§ 8 Personalpronomen

			Nominativ	*Akkusativ*	*Dativ*
Singular	*1. Person*		ich	mich	mir
	2. Person		du	dich	dir
	3. Person	*Mask.*	er	ihn	ihm
		Fem.	sie	sie	ihr
		Neutr.	es	es	ihm
Plural	*1. Person*		wir	uns	uns
	2. Person		ihr	euch	euch
	3. Person		sie	sie	ihnen
	Höflichkeitsform		Sie	Sie	Ihnen

§ 9 Artikel als Pronomen

Alle Artikelwörter (➜ § 1, § 2, § 3) können Pronomen sein.

⊙ Wir brauchen noch Stühle. Hier sind **welche**. Wie findest du **den**?

◆ Nicht schön, aber **dieser** hier ist interessant.

□ Hier ist noch **einer**. **Der** ist auch nicht schlecht.

der Stuhl	der	dies**er**	jed**er**	ein**er**	kein**er**	mein**er**	...
die Uhr	die	dies**e**	jed**e**	ein**e**	kein**e**	mein**e**	...
das Bett	das	dies**es**	jed**es**	ein**s**	kein**s**	mein**s**	...
die Möbel	die	dies**e**	all**e**	**welche**	kein**e**	mein**e**	...

Endungen: wie definiter Artikel. ➜ *§ 1*

Sonderfall: Plural Dativ von **der** *(Mask.)* = **denen**: Die Stühle sind bequem. Auf **denen** kann man gut sitzen.

Im Singular: **welcher** *steht für unbestimmte Mengen:* Hier ist **Kaffee**. Möchtest du **welchen**?

Zahlen

§ 10 Kardinalzahlen

Zahlen von 1 bis 10: ➜ *S. 11, 0 bis 100:* ➜ *S. 24, 100 bis 1000:* ➜ *S. 41*

§ 11 Ordinalzahlen und Datum

eins:	der **erste** Weg	zwanzig:	der zwanzig**ste** Brief	der **erste** Januar	am **ersten** Januar
zwei:	die zwei**te** Straße	dreißig:	die dreißig**ste** Flasche	der **zweite** Februar	am **zweiten** Februar
drei:	das **dritte** Haus	hundert:	das hundert**ste** Auto	der **dritte** März	am **dritten** März
vier:	die vier**te** Kreuzung	tausend:	der tausend**ste** Stuhl	...	...
fünf:	die fünf**te** Ampel	...	...		
sechs:	der sechs**te** Weg				
sieben:	das **siebte** Schild				
acht:	das ach**te** Haus				
...	...				

§ 12 Uhrzeit

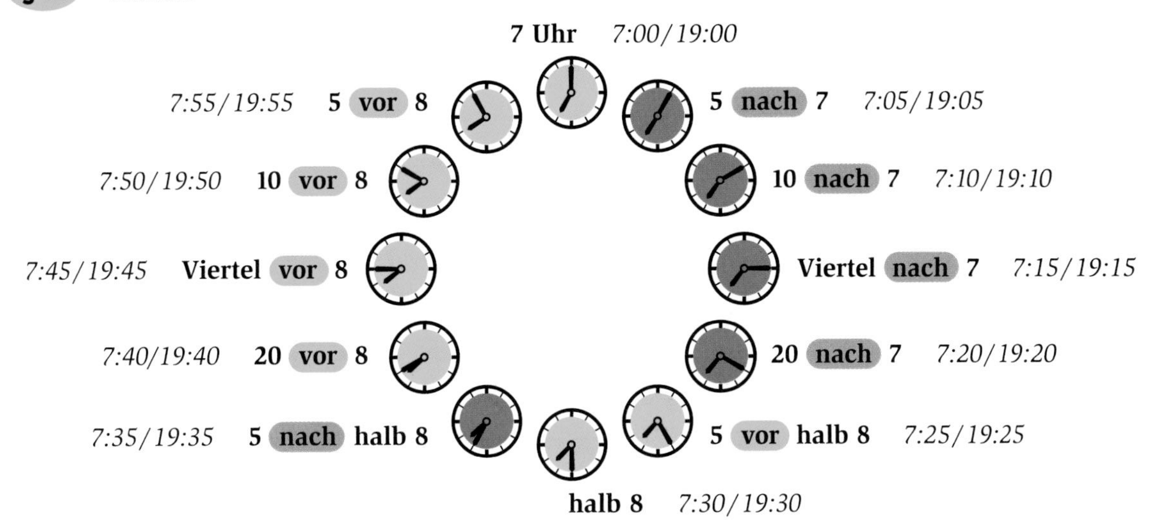

Präpositionen

§ 13 Präpositionen und Kasus

aus	durch	an
bei	für	auf
mit	gegen	hinter
nach	ohne	in
seit	um	neben
von		über
zu		unter
		vor
		zwischen
+ Dativ	*+ Akkusativ*	*+ Akkusativ oder Dativ („Wechselpräpositionen")*

Kurzformen:

am	= an dem	im	= in dem	beim	= bei dem	zum	= zu dem
ans	= an das	ins	= in das	vom	= von dem	zur	= zu der

§ 14 Gebrauch der Wechselpräpositionen

	Akkusativ:
Er hängt das Bild	an die Wand.
Sie stellt die Blumen	auf den Tisch.
Er bringt das Kind	ins Bett.
	Richtung, Bewegung Wohin? ➳➳➳◎

	Dativ:
Das Bild hängt	an der Wand.
Die Blumen stehen	auf dem Tisch.
Das Kind liegt	im Bett.
	Position, Ruhe Wo? ◎

➜ *§ 23 e. und f.: Situativ-/Direktivergänzung*

Verben: Konjugation

§ 15 Präsens: Schwache und starke Verben

	schwach		*stark*			*Endungen*	
Infinitiv	machen	arbeiten	fahren	geben	nehmen		
Stamm	mach-	arbeit-	fahr- / fähr-	geb- / gib-	nehm- / **nimm-**		
ich	mach**e**	arbeit**e**	fahr**e**	geb**e**	nehm**e**	**-e**	
du	mach**st**	arbeit**est**	fäh**rst**	gi**bst**	n**immst**	**-st** (-est)	
er/sie/es	mach**t**	arbeit**et**	fäh**rt**	gi**bt**	n**immt**	**-t** (-et)	
wir	mach**en**	arbeit**en**	fahr**en**	geb**en**	nehm**en**	**-en**	*wie Infinitiv*
ihr	mach**t**	arbeit**et**	fahr**t**	geb**t**	nehm**t**	**-t** (-et)	
sie/Sie	mach**en**	arbeit**en**	fahr**en**	geb**en**	nehm**en**	**-en**	*wie Infinitiv*
		Stamm auf **-t, -d**					

Weitere starke Verben:

Infinitiv:	*3. Pers. Singular*	*Infinitiv:*	*3. Pers. Singular*	*Infinitiv:*	*3. Pers. Singular*
einladen	l**ä**dt ein	essen	**i**sst	sehen	s**ie**ht
gefallen	gef**ä**llt	helfen	h**i**lft	empfehlen	empf**ie**hlt
halten	h**ä**lt	sprechen	spr**i**cht	lesen	l**ie**st
schlafen	schl**ä**ft	treffen	tr**i**fft		
waschen	w**ä**scht				
vorschlagen	schl**ä**gt vor				
laufen	l**ä**uft				

§ 16 Präsens: Unregelmäßige Verben

	sein	haben	werden	möchten	tun
ich	bin	habe	werde	möchte	tue
du	bist	hast	wirst	möchtest	tust
er/sie/es	ist	hat	wird	möchte	tut
wir	sind	haben	werden	möchten	tun
ihr	seid	habt	werdet	möchtet	tut
sie/Sie	sind	haben	werden	möchten	tun

§ 17 Präsens: Modalverben und „wissen"

	können	dürfen	müssen	wollen	sollen	mögen	wissen
ich	kann	darf	muss	will	soll	mag	**weiß**
du	kannst	darfst	musst	willst	sollst	magst	**weißt**
er/sie/es	kann	darf	muss	will	soll	mag	**weiß**
wir	können	dürfen	müssen	wollen	sollen	mögen	wissen
ihr	könnt	dürft	müsst	wollt	sollt	mögt	wisst
sie/Sie	können	dürfen	müssen	wollen	sollen	mögen	wissen

§ 18 Perfekt

a. Konjugation

machen:	Er	**hat**	eine Reise	**gemacht**.
fahren:	Er	**ist**	nach Österreich	**gefahren**.
		haben/ sein		*Partizip II*

Perfekt mit sein:
sein, bleiben, werden *und Verben der Zustandsveränderung oder Ortsveränderung:*
einschlafen, erschrecken, gehen, fahren, kommen *usw.*

Infinitiv	machen	fahren
ich	habe gemacht	bin gefahren
du	hast gemacht	bist gefahren
er/sie/es	hat gemacht	ist gefahren
wir	haben gemacht	sind gefahren
ihr	habt gemacht	seid gefahren
sie/Sie	haben gemacht	sind gefahren

b. Formenbildung: Partizip II

schwache Verben						
				...	**t**	
			ge	...	**t**	
		...	**ge**	...	**t**	
besuchen:	Er hat			besuch	**t**	*schwache Verben mit untrennbarem Verbzusatz*
verwenden:	Er hat			verwend	**et**	*schwache Verben mit Stamm auf* -t, -d
reparieren:	Er hat			reparier	**t**	*Verben auf* -ieren
spielen:	Er hat		**ge**	spiel	**t**	*die meisten schwachen Verben*
arbeiten:	Er hat		**ge**	arbeit	**et**	*schwache Verben mit Stamm auf* -t, -d
kennen:	Er hat		**ge**	**kann**	**t**	*starkes Verb, aber Partizip auf* -t
wandern:	Er ist		**ge**	wander	**t**	
aufhören:	Er hat	auf	**ge**	hör	**t**	*schwache Verben mit trennbarem Verbzusatz*
aufwachen:	Er ist	auf	**ge**	wach	**t**	

starke Verben						
				...	**en**	
			ge	...	**en**	
		...	**ge**	...	**en**	
bekommen:	Er hat			bekomm	**en**	*starke Verben mit untrennbarem Verbzusatz*
vergessen:	Er hat			vergess	**en**	
zerbrechen:	Er hat			zerbr**o**ch	**en**	
schlafen:	Er hat		**ge**	schlaf	**en**	*starke Verben*
sehen:	Er hat		**ge**	seh	**en**	
essen:	Er hat		**ge**	**gess**	**en**	*starke Verben mit besonderen Formen*
kommen:	Er ist		**ge**	komm	**en**	
anfangen:	Er hat	an	**ge**	fang	**en**	*starke Verben mit trennbarem Verbzusatz*
einsteigen:	Er ist	ein	**ge**	stieg	**en**	

c. So steht es in der Wortliste:

Infinitiv	*3. Person Singular Präsens*	*Perfekt*
schlafen	schläft	hat geschlafen
fahren	fährt	ist gefahren
abfahren	fährt ab	ist abgefahren

§ 19 Präteritum: „sein" und „haben"

	sein	haben
ich	war	hatte
du	warst	hattest
er/sie/es	war	hatte
wir	waren	hatten
ihr	wart	hattet
sie/Sie	waren	hatten

Statt Perfekt verwendet man bei sein *und* haben *oft auch das Präteritum:*
Er **ist** in Hamburg **gewesen**. ➔ Er **war** in Hamburg.
Er **hat** Hunger **gehabt**. ➔ Er **hatte** Hunger.

§ 20 Imperativ

	kommen	warten	nehmen	anfangen	sein	haben
Sie:	Komm**en** Sie	Wart**en** Sie	Nehm**en** Sie	Fang**en** Sie an	**Seien** Sie ...	Hab**en** Sie ...
du:	Komm	Wart**e**	**Nimm**	Fang an	**Sei** ...	**Hab** ...
ihr:	Komm**t**	Wart**et**	Nehm**t**	Fang**t** an	**Seid** ...	Hab**t** ...

§ 21 Verben mit trennbarem Verbzusatz

Verbzusatz zusammen mit dem Verb:		
mit Modalverb:	Er will seinen Freund	**ab**holen.
im Perfekt:	Er hat seinen Freund	**ab**geholt.

Verbzusatz getrennt vom Verb:			
Er	holt	seinen Freund	**ab.**
	Holt	er seinen Freund	**ab?**
	Hol	bitte deinen Freund	**ab.**

trennbarer Verbzusatz (betont)

So steht es in der Wortliste: ➔ *S. 179* ab·holen an·fangen auf·hören aus·machen ...

Verben und Ergänzungen

§ 22 Verben ohne Ergänzung

Was?	tun	Was tut er?	Er **schläft**.
			Ebenso: aufstehen, baden, duschen, fernsehen, lachen ...
			Ausdrücke mit **es**: es geht, es regnet ...

§ 23 Verben mit Ergänzungen

a. Verb + Nominativergänzung

Wer?	sein	Wer ist das?	Das ist **Rolf Schneider**.
Was?	sein	Was ist er?	Er ist **Student**.
	werden	Was wird er?	Er wird **Lehrer**.
Wie?	heißen	Wie heißt sie?	Sie heißt **Karin**.
	sein	Wie ist sie?	Sie ist **nett**.

b. Verb + Akkusativergänzung

Was?	suchen	Was sucht sie?	Sie sucht **einen Stuhl**.
Wen?		Wen sucht sie?	Sie sucht **den Verkäufer**.
			Ebenso: abholen, anziehen, bestellen, bekommen, besuchen, bringen, einladen, erkennen, essen, kaufen ...

c. Verb + Dativergänzung

Wem?	helfen	Wem hilft er?	Er hilft **mir**.
			Ebenso: danken, gefallen, gratulieren, helfen ...

d. Verb + Dativergänzung + Akkusativergänzung

Wem? Was?	erklären	Wem erklärt er was?	Er erklärt **mir den Weg**.
			Ebenso: empfehlen, zeigen ...

e. Verb + Situativergänzung

Wo?	wohnen	Wo wohnt sie?	Sie wohnt **in der Schweiz**.
			Ebenso: bleiben, hängen, liegen, sein, sitzen, stehen ...

f. Verb + Direktivergänzung

Wohin?	gehen	Wohin geht er?	Er geht **auf den Balkon**.
			Ebenso: fahren, kommen, laufen, reisen, rennen, springen ...

g. Verb + Herkunftsergänzung

Woher?	kommen	Woher kommt er?	Er kommt **aus dem Wohnzimmer**.
			Ebenso: laufen, rennen, springen ...

h. Verb + Akkusativergänzung + Direktivergänzung

Was? Wohin?	stellen	Wohin stellt sie was?	Sie stellt **den Stuhl an den Tisch**.
			Ebenso: bringen, hängen, heben, legen, schieben, setzen, werfen ...

i. Verb + Akkusativergänzung + Herkunftsergänzung

Was? Woher?	nehmen	Woher nimmt er das Glas?	Er nimmt **das Glas aus dem Schrank**.
			Ebenso: heben, holen, reißen ...

j. Verb + Verbativergänzung

Was tun?	gehen	Was gehen sie heute tun?	Sie gehen heute **tanzen**.

Satz

§ 24 Aussagesatz

Herr Noll **kommt**.
Herr Noll **kommt** aus Wien.
Herr Noll **ist** heute aus Wien gekommen.
Heute **ist** Herr Noll aus Wien gekommen.

Konjugiertes Verb: immer an Position 2 im Satz. *➜ § 27 bis 30*

§ 25 Fragesatz

a. Satzfrage

Frage	*Antwort*
Kommt Herr Noll?	**Ja**, Herr Noll kommt.
	Nein, Herr Noll kommt nicht.
Kommt Herr Noll aus Wien?	**Ja**, Herr Noll kommt aus Wien.
	Nein, Herr Noll kommt nicht aus Wien.
Ist Herr Noll heute aus Wien gekommen?	**Ja**, Herr Noll ist heute aus Wien gekommen.
	Nein, Herr Noll ist heute nicht aus Wien gekommen.

Weitere Beispiele ➜ § 27 bis 30

b. Wortfrage

Frage	*Antwort*
Wer kommt?	**Herr Noll** kommt.
Woher kommt Herr Noll?	Herr Noll kommt **aus Wien**.
Wann ist Herr Noll aus Wien gekommen?	Herr Noll ist **heute** aus Wien gekommen.

Weitere Beispiele ➜ § 27 bis 30

c. Fragewörter

Fragewort	*Frage*	*Antwort*
Wer?	Wer ist der Mann?	Der Mann ist Jan Schöne.
	Wer kommt aus Berlin?	Herr Meier kommt aus Berlin.
	Wer muss warten?	Der Autofahrer muss warten.
Wen?	Wen rufen Sie?	Ich rufe den Kellner.
	Wen finden Sie sympathisch?	Ich finde die Fotografin sympathisch.
Was?	Was machen Sie?	Ich arbeite.
	Was essen Sie?	Ich esse eine Pizza.
Wo?	Wo wohnen Sie?	Ich wohne in Hamburg.
	Wo ist der Ball?	Der Ball ist unter dem Tisch.
Wohin?	Wohin fahren Sie?	Ich fahre nach München.
	Wohin legt der Verkäufer das Buch?	Der Verkäufer legt das Buch auf den Tisch.
Woher?	Woher kommen Sie?	Ich komme aus Berlin.
	Woher kommt der Wind?	Der Wind kommt aus Westen.

Wann?	Wann kommen Sie?	Ich komme morgen.
	Wann fährt Ihr Zug?	Mein Zug fährt um acht Uhr.
Warum?	Warum weint sie?	Sie ist traurig.
	Warum können Sie nicht telefonieren?	Mein Handy ist kaputt.
Wie?	Wie heißen Sie?	Ich heiße Ingrid Meier.
	Wie ist Ihre Telefonnummer?	Meine Telefonnummer ist 138057.
	Wie geht es Ihnen?	Danke, gut.
	Wie finden Sie die Vase?	Die Vase finde ich schön.
	Wie komme ich zum Bahnhof?	Gehen Sie einfach geradeaus.
	Wie alt ist Ihre Tochter?	Meine Tochter ist acht Jahre alt.
	Wie groß ist das Wohnzimmer?	Das Wohnzimmer hat 35 m^2.
	Wie viel kostet der Stuhl?	Der Stuhl kostet 72,- Euro.
	Wie viele Stunden arbeiten Sie heute?	Ich arbeite heute acht Stunden.
	Wie lange bleiben Sie?	Ich bleibe zwei Wochen.
	Wie schnell kann das Auto fahren?	Das Auto kann 180 fahren.
	Wie spät ist es?	Es ist Viertel nach elf.

Siehe auch ➜ *§ 23*

§ 26 Negation bei Verben

Positive Aussage	*Negative Aussage*
Sie schläft.	Er schläft **nicht**.
Er geht nach Hause.	Sie geht **nicht** nach Hause.

! Sie hat **kein Haus**. ➔ **Ein Haus** hat sie **nicht**.
Sie trinkt **keinen Kaffee**. ➔ **Kaffee** trinkt sie **nicht**.
Vergleiche Negation bei Nomen: ➜ *§ 4*

§ 27 Die Verbklammer

Vorfeld	***Verb*** *(1)*		*Mittelfeld*		***Verb*** *(2)*
Herr Noll	kommt.				
Herr Noll	kommt			aus Wien.	
Herr Noll	soll		heute	aus Wien	kommen.
Herr Noll	ist		heute	aus Wien	gekommen.
	Kommt	Herr Noll		aus Wien?	
	Ist	Herr Noll	heute	aus Wien	gekommen?
Woher	soll	Herr Noll	heute		kommen?
Aus Wien	soll	Herr Noll	heute		kommen.
Wann	ist	Herr Noll		aus Wien	gekommen?
Heute	ist	Herr Noll		aus Wien	gekommen.
Wann	kommt	Frau Nolte			an?
Frau Nolte	kommt		um 17 Uhr		an.
Wir	müssen	sie	um 17 Uhr	vom Bahnhof	abholen.
	Kommen	Sie	bitte		mit!

Verbklammer

§ 28 Das Vorfeld

Vorfeld	*Verb (1)*	*Mittelfeld*			*Verb (2)*
		Subjekt	*Angabe*	*Ergänzung*	
	Kann	Thaisong	in 2 Minuten	6 Gesichter	zeichnen?
Thaisong	kann		in 2 Minuten	6 Gesichter	zeichnen.
In zwei Minuten	kann	Thaisong		6 Gesichter	zeichnen.
Sechs Gesichter	kann	Thaisong	in 2 Minuten		zeichnen.

Vorfeld: leer, Subjekt, Angabe oder Ergänzung

§ 29 Verb (2)

Vorfeld	*Verb (1)*	*Mittelfeld*			*Verb (2)*
		Subjekt	*Angabe*	*Ergänzung*	
Der Verkäufer	schließt			die Tür.	
Er	schließt		abends	die Tür	ab.
Abends	muss	er		die Tür	abschließen.
Er	hat		heute Abend	die Tür	abgeschlossen.

Verb (2): leer, trennbarer Verbzusatz, Infinitiv oder Partizip

§ 30 Das Mittelfeld

a. Ergänzung: Nomen

Vorfeld	*Verb (1)*	*Mittelfeld*			*Verb (2)*
		Subjekt	*Angabe*	*Ergänzung*	
	Hat	er	schon	die Tür	abgeschlossen?
Er	muss		noch	die Tür	abschließen.

b. Ergänzung: Nomen oder Pronomen

Vorfeld	*Verb (1)*	*Mittelfeld*				*Verb (2)*
		Subjekt	*Ergänzung*	*Angabe*		
	Hat	er	die Tür	schon		abgeschlossen?
	Hat	er	sie	schon		abgeschlossen?
Er	muss		die Tür	noch		abschließen.
Er	muss		sie	noch		abschließen.

c. Zwei Ergänzungen

Vorfeld	*Verb (1)*	*Mittelfeld*				*Verb (2)*
		Subjekt	*Ergänzung*	*Angabe*	*Ergänzung*	
Er	bringt		mir	heute	Blumen	mit.
Er	stellt		die Blumen	gleich	in die Vase.	
Er	stellt		sie	gleich	in die Vase.	

Alphabetische Wortliste

In dieser Wortliste sehen Sie alle Wörter dieses Buches mit Angabe der Seiten, auf denen sie zuerst oder in einer unterschiedlichen Bedeutung vorkommen. **Fettgedruckte** Wörter sind Bestandteil des Prüfungswortschatzes von START DEUTSCH A1. Im Arbeitsbuch finden Sie nach jedem Themenkreis den Lernwortschatz des Themenkreises sowie österreichische und schweizerische Entsprechungen bestimmter Wörter.
Bei Nomen finden Sie das Artikelzeichen (r = der, e = die, s = das) und das Zeichen für die Pluralform (r Absender, -, r Abflug, ¨e). Nomen ohne Angabe der Pluralform verwendet man nicht oder nur selten im Plural. Nomen mit der Angabe „pl" verwendet man nicht oder selten im Singular. Bei starken und unregelmäßigen Verben finden Sie neben dem Infinitiv auch die 3. Person Singular Präsens und Perfekt, bei schwachen Verben, die im Perfekt mit „sein" gebildet werden, ist die Perfektform angegeben. Trennbare Verben sind folgendermaßen gekennzeichnet: ab · fahren.

Quellenverzeichnis

Cover: © Getty Images/Jean-Pierre Pieuchot
Seite 7: *Frau* © mauritius images/John Curtis; *Familie* © Thinkstock/Photodisc; *Abschied* © Thomas Spiessl; *Fahrplan und Interrail* © DB AG/Taubert; *Taxi* © Bilderberg/Eberhard Grames; *Flughafen* © irisblende.de; *Gepäck Center* © DB AG/Gaertig; *Muschel* © Hueber Verlag; *Automat* © Deutsche Wurlitzer GmbH
Seite 8: *Lautsprecher* © MONARCOR INTERNATIONAL GmbH & Co. KG, Bremen, 2005; *alle anderen* © Thomas Spiessl
Seite 9: *1* © DB AG/Geisler; *2* © laif/Markus Kirchgessner; *3* © irisblende.de; *4, 6* © Thomas Spiessl; *5* © Caro/Jandke; *7* © dpa Picture-Alliance/ZB; *8* © DB AG/Klee; *9* © irisblende.de
Seite 12: *a* © Thinkstock/iStockphoto; *b* © Thomas Spiessl; *c* © irisblende.de; *d* © dpa Picture-Alliance/dpaweb; *e* © Polizei München; *f* © Thinkstock/Stockbyte/John Foxx; *g* © MEV; *h* © dpa Picture-Alliance
Seite 14: *Hintergrund unten rechts* © DB AG/Kirsche; *alle anderen* © Thomas Spiessl
Seite 16: © Hueber Verlag/Heribert Mühldorfer
Seite 17: © Hueber Verlag/Heribert Mühldorfer
Seite 18: *oben* © Hueber Verlag/Heribert Mühldorfer; *unten* © Hueber Verlag/Roland Koch
Seite 19: © Hueber Verlag/Heribert Mühldorfer
Seite 20: *Porsche* © Hueber Verlag/Janine Klein; *Ford* © Ford-Werke GmbH; *Peugeot* © Peugeot Deutschland GmbH, Saarbrücken; *BMW* © BMW AG, München; *Toyota* © Toyota Deutschland GmbH; *Mercedes* © DaimlerChrysler AG; *Volvo* © Volvo Car Germany; *Volkswagen* © Volkswagen AG; *unten rechts* © mauritius images/J. Müller
Seite 21: *oben* © Stockbyte; *unten* © Thomas Spiessl
Seite 23: © Thomas Spiessl
Seite 25: © Hueber Verlag/Thomas Storz
Seite 26: *Briefmarke* © fotolia/berlin2020; *Postkarte* © MEV
Seite 27: *Briefmarke oben* © Österreichische Post AG; *Briefmarke Mitte* © fotolia/M. Schuppich; *Briefmarke unten* © Die Schweizerische Post
Seite 28: © DB AG/Kitzinger
Seite 29: © irisblende.de
Seite 31: *oben links* © irisblende.de; *oben rechts* © mauritius images/age fotostock; *Mitte links* © Hueber Verlag/Roland Koch; *Mitte zentral* © mauritius images/Harry Walker; *Mitte rechts* © irisblende.de; *unten links* © mauritiusimages/Workbookstock; *unten rechts* © Superjuli; *Seehund* © Thinstock/iStockphoto
Seite 34: © Thomas Spiessl
Seite 37: *2x oben* © Thomas Spiessl; *Männer* © Getty Images/Image source; *unten* © Hueber Verlag/Roland Koch
Seite 38: *oben* © Hueber Verlag/Heribert Mühldorfer; *Mitte und unten* © Hueber Verlag/Roland Koch
Seite 39: *Reifenwechseln* © Hueber Verlag/Heribert Mühldorfer; *alle weiteren* © Hueber Verlag/Roland Koch
Seite 40: *Kartoffeln* © Hueber Verlag/W. Bönzli; *Milch* © Hueber Verlag/Franz Specht; *Bananen* © Hueber Verlag, *alle anderen* © Thomas Spiessl
Seite 41: *Geld* © Hueber Verlag; *unten* © Hueber Verlag/Roland Koch
Seite 42: © Hueber Verlag/Roland Koch
Seite 43: *J. Haydn* © dpa Picture-Alliance; *J. Brahms* © fotolia/Georgios Kollidas; *L.v. Beethoven* © dpa Picture-Alliance/akg-images; *W. A. Mozart* © Thinkstock/iStock/GeorgiosArt; *J. Hendrix* © dpa Picture-Alliance; *R. Charles* © dpa Picture-Alliance/dpa; *F. Mercury* © dpa Picture-Alliance; *E. Presley* © action press/Everett Collection; *oben und unten links* © Hueber Verlag/Roland Koch
Seite 45: *2x oben* © Thomas Spiessl; *Lebensmittel* © Hueber Verlag/Roland Koch
Seite 46: *Karte* © Hueber Verlag/Martin Lange Design
Seite 48: *a, c* © Thomas Spiessl; *b, d* © irisblende.de; *e, f* © MEV
Seite 49: *oben* © MEV; *unten* © Hueber Verlag/Heribert Mühldorfer
Seite 50: *Fußball* © irisblende.de; *Monopoly* © Parker; *Schach* © irisblende.de; *Karten* © MEV; *Beachvolleyball* © MEV; *Saxophon* © irisblende.de; *Tischtennis* © F1online/Cusp; *Ansichtskarte* © Joker/Ralf Gerard
Seite 51: *oben rechts* © Hueber Verlag/Heribert Mühldorfer; *unten* © MEV
Seite 52: © mauritius images/age fotostock
Seite 53: © Christian Adam
Seite 55: *Weltenbummler, 2x Wohnung, Frau mit Besen* © Thomas Spiessl; *Kamera* © Thinkstock/iStock/Bet_Noire; *Fotolabor* © Hueber Verlag/Heribert Mühldorfer; *Segelboot* © iStock/technotr; *Mann am PC* © Photodisc; *Schildkröte* © irisblende.de
Seite 56: *A, C, D, E, G, 2, 3, 4, 5, 6, 7* © Hueber Verlag; *B* © MEV; *F* © Deutsche Telekom AG; *H* © Deichmann; *I* © Thinkstock/iStock/zhudifeng; *1* © fotolia/M. Schuppich; *8* © Das Telefonbuch Servicegesellschaft mbH; *9* © Falke Gruppe
Seite 57: © Thomas Spiessl

Seite 59: *Fotoapparat* © Thinkstock/iStock/zhudifeng; *Fahrrad* © WINORA-STAIGER GmbH; *Handy* © iStockphoto/macroworld; *DVD-Recorder* © fotolia/Milkos; *Fernsehgerät* © JVC Deutschland GmbH; *Radio* © Thinkstock/iStock/maxximmm; *MP3-Player* © Thinkstock/Photodisc/Thomas Northcut; *Gitarre* © Yamaha Music Central Europe GmbH; *Geschirrspüler* © Thinkstock/iStockphoto; *Auto* © Volkswagen AG; *Hund und Katze* © MEV; *Anrufbeantworter* © iStockphoto/Angelika Stern; *Plattenspieler* © Panasonic Deutschland
Seite 60: *oben 6x* © Thomas Spiessl; *unten* © Hueber Verlag
Seite 61: © Thomas Spiessl
Seite 63: *Segelboot* © iStock/technotr; *Motorrad* © Hueber Verlag/Roland Koch; *alle anderen* © Hueber Verlag/Heribert Mühldorfer
Seite 64: *oben* © Getty Images/Photodisc; *unten links und Mitte* © Hueber Verlag; *unten rechts* © Superjuli
Seite 65: © Thomas Spiessl
Seite 66: © Thomas Spiessl
Seite 67: © Thomas Spiessl
Seite 73: *Karte* © Hueber Verlag/Martin Lange Design
Seite 74: © Thomas Spiessl
Seite 76: © IKEA Deutschland
Seite 77: © IKEA Deutschland
Seite 79: *Verkehr* © f1 online/Muro; *Obst* © MEV; *Fahrradverbot und Fotografierverbot* © Avenue Images/Alstills 53N; *Sprungbrett* © Getty Images/Erin Patrice O'Brien; *Fernsehen* © MEV; *Seepferdchen* © mauritius-images/age fotostock; *Mann an Kreuzung* © Thomas Spiessl; *Jahrmarkt* © Bilderberg/Hans Madej; *Parkplatz* © iStockphoto/Roxiller
Seite 81: © Thomas Spiessl
Seite 85: *oben* © Thomas Spiessl; *unten* © Hueber Verlag/Heribert Mühldorfer
Seite 88: © Hueber Verlag/Roland Koch
Seite 89: *oben* © Hueber Verlag/Heribert Mühldorfer; *unten* © Thomas Spiessl
Seite 90: © Hueber Verlag/Heribert Mühldorfer
Seite 91: *oben und unten* © Hueber Verlag/Roland Koch; *Mitte* © Hueber Verlag/Heribert Mühldorfer
Seite 100: © Ecopix/Andreas Froese
Seite 101: © Getty Images/Karl Johaentges
Seite 103: *Zugabteil* © DB AG/Reiche; *Hafen* © iStockphoto/anandoart; *Delfin* © mauritius-images/age fotostock, *Bremer Stadtmusikanten* © iStockphoto/Andrea Izzotti; *Apfel* © mauritius-images/Ley; *Krankenwagen* © Getty Images/Halfdark; *Mitte links und unten rechts* © Thomas Spiessl
Seite 104: © Thomas Spiessl
Seite 106: © Thomas Spiessl
Seite 108: © Thomas Spiessl
Seite 109: © Thomas Spiessl
Seite 110: *Tor* © artur/Mueller-Naumann, Stefan; *Hafen* © iStockphoto/anandoart; *Kran* © iStockphoto/HHakim; *Container* © iStockphoto/36clicks; *Notaufnahme* © vision photos/A. Kull
Seite 111: © Hueber Verlag/Heribert Mühldorfer
Seite 112: *oben und Mitte* © Thomas Spiessl; *unten* © Stockbyte
Seite 113: © Hueber Verlag/Roland Koch
Seite 114: *oben* © DB AG/Reiche; *unten* © Hueber Verlag/Heribert Mühldorfer
Seite 115: *oben rechts* © iStockphoto/Ivan Strba; *unten Mitte* © iStockphoto/Diane Labombarbe; *alle anderen* © Hueber Verlag/Heribert Mühldorfer
Seite 119: © Thomas Spiessl
Seite 120: *Homepage* © Luzern Tourismus AG
Seite 124: © Caro/Haefele
Seite 125: © mauritius images/Clasen
Seite 127: *Wäsche* © irisblende.de; *Supermarkt* © Photodisc; *Möwe* © superjuli; *Bauern* © Getty Images/Ricky John Molloy; *alle anderen* © Thomas Spiessl
Seite 129: *oben* © mauritius-images/SuperStock; *Mitte* © Thomas Spiessl; *unten* © Bildagentur-online/Bergsteiger
Seite 132: *Bauernhof* © MEV; *Bauernpaar* © Getty Images/Ricky John Molloy
Seite 133: *Bäuerin* © Getty Images/Ricky John Molloy
Seite 135: © Wolfgang Korall, Berlin
Seite 136: © Hueber Verlag/Heribert Mühldorfer
Seite 138: © Hueber Verlag/Roland Koch
Seite 139: © Hueber Verlag/Hartmut Aufderstraße
Seite 141: © vario-press/Ulrich Baumgarten
Seite 144: © MEV
Seite 146: *Wetterkarte* © Hueber Verlag/Martin Lange Design
Seite 147: © Thomas Spiessl
Seite 148: © IFA/Maximilian
Seite 149: © mauritius images/Rossenbach
Seite 159: © MEV
Seite 168: *Handy* © Deutsche Telekom AG; *Kamera* © Thinkstock/iStock/Bet_Noire

Übersicht der Tracks

Track 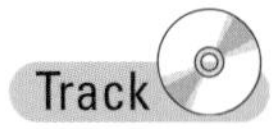 Lerneinheit Übung

Track	Lerneinheit	Übung	Titel
2	4	1	Das Alphabet
3	4	2	„Wie ist die Autonummer?“
4	4	3	Wörter *Teil a.*
5			*Teil b.*
6			*Teil c.*
7	4	5	„Wie geht es Ihnen?“ „Wie geht es dir?“ *Gespräch a.*
8			*Gespräch b.*
9	4	6	„Wo bist du?“ „Wo sind Sie?“ *Gespräch a.*
10			*Gespräch b.*
11	4	7	Zahlen von 10 bis 100 *Teil a.*
12			*Teil b.*
13			*Teil c.*
14	4	8	Wie alt sind die Personen? *Teil a.*
15			*Teil b.*
16	4	9	Das ist meine Familie.
17	9	1	Zischlaute …
18	9	2	Zwei Matratzen platzen …
19	9	4	„Möchtest du etwas essen?“ „Habt ihr Durst?“ *Gespräch a.*
20			*Gespräch b.*
21	9	6	Konjugationsspiele
22	9	8	„Valeria kommt aus Italien.“ *Gespräch 1*
23			*Gespräch 2*
24	14	1	Kurze Vokale – lange Vokale
25	14	2	Wörter mit „st“
26	14	3	Wörter mit „sp“ und „st“
27	14	4	Wörter mit „ü“ und „y“
28	14	5	Sprechen Sie nach und markieren Sie die Betonung.
29	14	6	Welche Wörter sind betont?

Track	Lerneinheit	Übung	Titel
30	14	9	„Wie findest du …?“
31	14	11	„Schau mal, da ist …“
32	19	1	Hören Sie und sprechen Sie nach.
33	19	5	Sie liest. Ihr lest.
34	19	6	Schläfst du nicht? Schlaft ihr nicht?
35	19	7	Jochen möchte kochen.
36	19	8	„Wollen wir zusammen lernen?“ *Gespräch 1*
37			*Gespräch 2*
38	24	1	Frau Nolte hängt Bilder an die Wand.
39	24	2	Ein Mann legt den Regenschirm neben den Koffer.
40	24	3	„Entschuldigung, können Sie mir helfen?“ *Gespräch 1*
41			*Gespräch 2*
42	24	5	„Wie komme ich zu …?“
43	24	7	„Haben Sie ein Zimmer frei?“
44	29	1	Ist der Vokal kurz oder lang
45	29	2	„Hast du schon die Schuhe geputzt?“
46	29	3	„Hast du schon …?“
47	29	4	Hören Sie die Sätze und sprechen Sie nach. *Teil a.*
48			*Teil b.*
49			*Teil c.*
50			*Teil d.*
51	29	5	Im Schnellimbiss
52	29	6	„Das habe ich schon gemacht.“
53	29	8	„Kannst du bitte …?“
54			Übungstest Hören Teil 1
55			Übungstest Hören Teil 2
56			Übungstest Hören Teil 3

Die CD enthält alle Hörtexte der Teile „Fokus Sprechen“ und des Übungstests. Gesamtlaufzeit: 70 Minuten

Aufnahme und Produktion: Tonstudio Langer
Für die musikalische Beratung bei der Titelmusik bedanken wir uns bei Dafydd Bullock, Luxemburg.

Sprecherinnen und Sprecher: Ulrike Arnold, Maria Böhme, Andreas Borcherding, Manfred Erdmann, Tanja Frehse, Kathrin Fröhlich, Karolin Guthke, Benedikt Gutjan, Benjamin Heckner, Christoph Jablonka, Anke Kortemeier, Harriet Kracht, Crock Krumbiegel, Ruth Küllenberg, Cecilia Lucio, Katherina Mai, Marcus Off, Osman Ragheb, Thomas Rauscher, Manuela Renard, Jakob Riedl, Manfred Schmidt, Manuel Straube, Martin Umbach, Margit Weinert und andere.